하루 10분 서술형/문장제 학습지

수학 독해

F2 비와 그래프

초6

사고가 자라는 수학

씨투엠

씨투엠

수학독해 : 수학을 스스로 읽고 해결하다

객관식이나 간단한 단답형 문제는 자신 있는데 긴 문장이나 풀이 과정을 쓰라는 문제는 어려워하는 아이들이 있어요. 빠르고 정확하게 연산하고 교과 응용문제까지도 곧잘 풀어내지만, 문제 속 상황이 약간만 복잡해지면 문제를 풀려고도 하지 않는 아이들도 많아요. 이러한 아이들에게 부족한 것은 연산 능력이나 문제 해결력보다는 독해력과 표현력입니다. 특히 수학적 텍스트를 이해하고 표현하는 능력, 즉 수학 독해력이지요.

요즘 아이들의 독해력이 약해진 가장 큰 이유는 과거에 비해 이야기를 만나는 방식이 다양해졌기 때문이에요. 예전에는 대부분 말이나 글로써만 이야기를 접했어요. 텍스트 위주로 여러 가지 사건을 간접 체험하고, 머리 속으로 상황을 그려 내는 훈련이 자연스럽게 이루어졌지요. 반면 요즘 아이들은 글보다도 TV나 스마트폰 등 영상매체에 훨씬 빨리, 자주 노출되기에 글을 통해 상상을 할 필요가 점점 없어지게 되었습니다.

그렇다고 아이들에게 어렸을 때부터 영화나 애니메이션을 못 보게 하고 책만 읽게 하는 것은 바람직하지 않고, 가능하지도 않아요. 시각 매체는 그 자체로 많은 장점이 있기 때문에 지금의 아이들은 예전 세대에 비해 이미지에 대한 이해력과 적용력이 매우 뛰어나답니다. 문제는 아직까지 모든 학습과 평가 방식이 여전히 텍스트 위주이기 때문에 지금도 아이들에게 독해력이 중요하다는 점이에요. 그래서 저희는 영상 매체에는 익숙하지만 말이나 글에는 약한 아이들을 위한 새로운 수학 독해력 향상 프로그램인 씨투엠 수학독해를 기획하게 되었어요.

씨투엠 수학독해는 기존 문장제/서술형 교재들보다 더욱 쉽고 간단한 학습법을 보여주려 해요. 문제에 있는 문장과 표현 하나하나마다 따로 접근하여 아이들이 어려워하는 포인트를 찾고, 각 포인트마다 직관적인 활동을 통해 독해력과 표현력을 차근차근 끌어올리려고 합니다. 또한 문제 이해와 풀이 서술 과정을 단계별로 세세하게 나누어 문장제, 서술형 문제를 부담 없이 체계적으로 연습할 수 있어요. 새로운 문장제 학습법인 씨투엠 수학독해가 문장제 문제에 특히 어려움을 겪고 있거나 앞으로 서술형 문제를 좀 더 잘 대비하고 싶은 아이들에게 큰 도움이 될 것이라 자신합니다.

씨투엠

수학독해의 구성과 특징

- 매일 부담없이 2쪽씩, 하루 10분 문장제 학습
- 매주 5일간 단계별 활동, 6일차는 중요 문장제 확인학습
- 5회분의 진단평가로 테스트 및 복습

주차별 구성

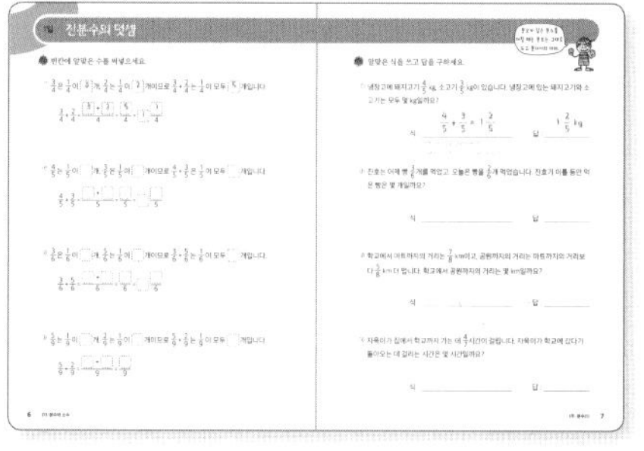

일일학습

꼬마 수학자들의
간단한 팁과 함께
매일 새롭게 만나는
단계별 문장제 활동

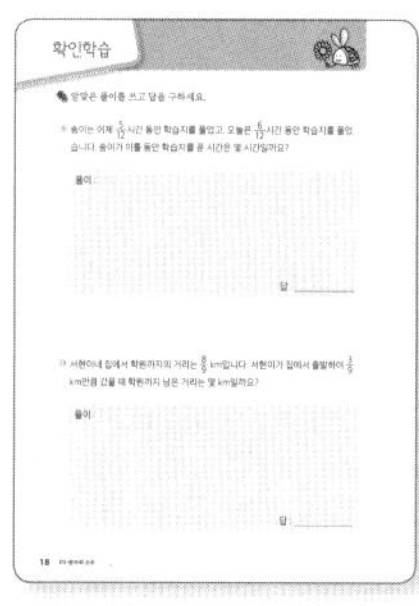

확인학습

중요 문장제 활동을
다시 한번 확인하며
주차 학습 마무리

주차	1일	2일	3일	4일	5일	확인학습
1주차	6쪽 ~ 7쪽	8쪽 ~ 9쪽	10쪽 ~ 11쪽	12쪽 ~ 13쪽	14쪽 ~ 15쪽	16쪽 ~ 18쪽
2주차	20쪽 ~ 21쪽	22쪽 ~ 23쪽	24쪽 ~ 25쪽	26쪽 ~ 27쪽	28쪽 ~ 29쪽	30쪽 ~ 32쪽
3주차	34쪽 ~ 35쪽	36쪽 ~ 37쪽	38쪽 ~ 39쪽	40쪽 ~ 41쪽	42쪽 ~ 43쪽	44쪽 ~ 46쪽
4주차	48쪽 ~ 49쪽	50쪽 ~ 51쪽	52쪽 ~ 53쪽	54쪽 ~ 55쪽	56쪽 ~ 57쪽	58쪽 ~ 60쪽

진단평가 구성

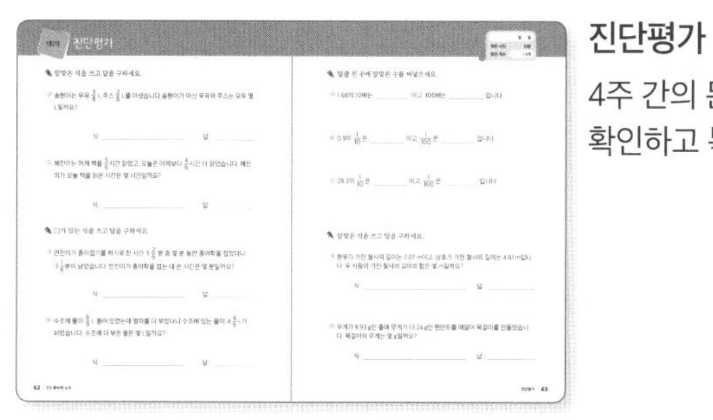

진단평가

4주 간의 문장제 학습에서 부족한 부분을
확인하고 복습하기 위한 자가 진단 테스트

진단평가	1회	2회	3회	4회	5회
진단평가	62쪽 ~ 63쪽	64쪽 ~ 65쪽	66쪽 ~ 67쪽	68쪽 ~ 69쪽	70쪽 ~ 71쪽

이 책의 차례

1주차

비와 비율

1일 비

□ 안에 알맞은 수를 써넣으세요.

사과 5개, 파인애플 3개

✪ 사과 수와 파인애플 수의 비 ➡ 5 : 3

① 사과 수의 파인애플 수에 대한 비 ➡ □ : □

② 파인애플 수에 대한 사과 수의 비 ➡ □ : □

빵 4개, 우유 7개

③ 빵 수와 우유 수의 비 ➡ □ : □

④ 우유 수의 빵 수에 대한 비 ➡ □ : □

⑤ 우유 수에 대한 빵 수의 비 ➡ □ : □

물음에 답하세요.

✪ 같은 크기의 컵으로 냄비에 물 7컵과 카레 가루 2컵을 넣어 카레를 만들려고 합니다. 물의 양과 카레 가루의 양의 비를 써 보세요.

답 : 7 : 2

① 빨간색 구슬이 9개, 파란색 구슬이 4개 있습니다. 빨간색 구슬 수와 파란색 구슬 수의 비를 써 보세요.

답 :

② 직사각형의 가로는 6 cm, 세로는 10 cm입니다. 직사각형의 가로의 세로에 대한 비를 써 보세요.

답 :

③ 전체 학생은 20명이고 안경을 쓴 학생이 11명일 때, 안경을 쓴 학생에 대한 안경을 쓰지 않은 학생 수의 비를 써 보세요.

답 :

2일 비율

표를 알맞게 완성하세요.

	비	비교하는 양	기준량	비율	
				분수로 나타내기	소수로 나타내기
✪	7 : 5	7	5	$\frac{7}{5}$	1.4
①	3 : 2				
②	4 : 8				
③	6 : 10				
④	5 : 4				
⑤	14 : 4				
⑥	11 : 20				

 물음에 답하세요.

✪ 가로가 9 cm, 세로가 6 cm인 직사각형이 있습니다. 이 직사각형의 세로에 대한 가로의 비율을 분수와 소수로 각각 나타내어 보세요.

분수 : $\frac{9}{6}\left(=\frac{3}{2}\right)$ 소수 : 1.5

① 축구공이 28개, 야구공이 21개 있습니다. 축구공 수에 대한 야구공 수의 비율을 분수와 소수로 각각 나타내어 보세요.

분수 : ________ 소수 : ________

② 민성이는 흰색 물감 15 mL에 검은색 물감 3 mL를 섞어 회색을 만들었습니다. 흰색 물감 양에 대한 검은색 물감 양의 비율을 분수와 소수로 각각 나타내어 보세요.

분수 : ________ 소수 : ________

③ 집에서 학교까지의 거리는 2 km, 집에서 도서관까지의 거리는 5 km입니다. 집에서 학교까지의 거리에 대한 집에서 도서관까지의 거리의 비율을 분수와 소수로 각각 나타내어 보세요.

분수 : ________ 소수 : ________

3일 비율의 활용

물음에 답하세요.

✪ 정민이는 물에 유자 원액 100 mL를 넣어 유자차 400 mL를 만들었고, 채은이는 물에 유자 원액 120 mL를 넣어 유자차 500 mL를 만들었습니다. 두 사람의 유자차 양에 대한 유자 원액 양의 비율을 각각 구하고, 누가 만든 유자차가 더 진한지 구해 보세요.

정민 : $\frac{100}{400}\left(=\frac{1}{4}=0.25\right)$ 채은 : $\frac{120}{500}\left(=\frac{6}{25}=0.24\right)$

더 진한 유자차를 만든 사람 : 정민

① 두 반이 야구를 하였습니다. 1반은 30타수 중에서 안타를 9개 쳤고 2반은 25타수 중에서 안타를 10개 쳤습니다. 두 반의 타수에 대한 안타 수의 비율을 각각 구하고, 어느 반의 타율이 더 높은지 구해 보세요. (단, 타수에 대한 안타 수의 비율을 타율이라고 합니다.)

1반 : ______ 2반 : ______

더 높은 타율인 반 : ______

② 빨간색 버스는 300 km를 가는 데 4시간이 걸렸고, 파란색 버스는 240 km를 가는 데 3시간이 걸렸습니다. 두 버스의 걸린 시간에 대한 달린 거리의 비율을 각각 구하고, 어느 버스가 더 빠른지 구해 보세요.

빨간색 버스 : ______ 파란색 버스 : ______

더 빠른 버스 : ______

물음에 답하세요.

✪ 두 마을의 넓이에 대한 인구의 비율을 각각 구하고, 두 마을 중 인구가 더 밀집한 곳은 어디인지 구해 보세요.

마을	사랑 마을	즐거운 마을
인구(명)	5000	2100
넓이 (km^2)	5	3
넓이에 대한 인구의 비율	1000	700

사랑 마을

① 성민이와 기석이는 텃밭에 오이를 심었습니다. 두 텃밭의 넓이에 대한 오이 수의 비율을 각각 구하고, 두 텃밭 중 더 촘촘하게 심은 곳은 어디인지 구해 보세요.

텃밭	성민이네 텃밭	기석이네 텃밭
오이 수(개)	84	60
넓이 (m^2)	12	10
넓이에 대한 오이 수의 비율		

________ 텃밭

② **가** 자전거와 **나** 자전거로 달린 거리와 걸린 시간을 나타낸 표입니다. 걸린 시간에 대한 달린 거리의 비율을 각각 구하고, 어느 자전거가 더 빠른지 구해 보세요.

자전거	가	나
달린 거리 (km)	78	64
걸린 시간(시간)	6	4
걸린 시간에 대한 달린 거리의 비율		

________ 자전거

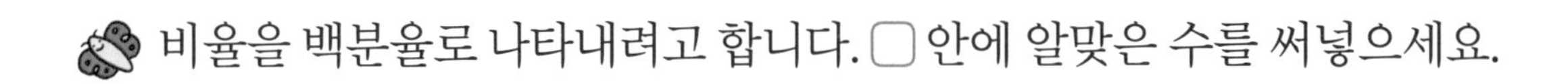

4일 백분율

비율을 백분율로 나타내려고 합니다. □ 안에 알맞은 수를 써넣으세요.

✪ $\frac{4}{5} \rightarrow \frac{4}{5} \times$ 100 = 80 (%)

✪ $0.3 \rightarrow 0.3 \times$ 100 = 30 (%)

① $\frac{1}{2} \rightarrow \frac{1}{2} \times$ □ = □ (%)

② $\frac{3}{4} \rightarrow \frac{3}{4} \times$ □ = □ (%)

③ $\frac{3}{12} \rightarrow \frac{3}{12} \times$ □ = □ (%)

④ $\frac{13}{25} \rightarrow \frac{13}{25} \times$ □ = □ (%)

⑤ $0.7 \rightarrow 0.7 \times$ □ = □ (%)

⑥ $0.9 \rightarrow 0.9 \times$ □ = □ (%)

⑦ $0.36 \rightarrow 0.36 \times$ □ = □ (%)

⑧ $0.81 \rightarrow 0.81 \times$ □ = □ (%)

물음에 답하세요.

주머니 속에 빨간색 구슬이 14개, 노란색 구슬이 6개로 모두 20개 들어 있습니다. 전체 구슬 수에 대한 노란색 구슬 수의 비율은 몇 %일까요?

(전체 구슬 수에 대한 노란색 구슬 수의 비율) = $\frac{6}{20}$

$\frac{6}{20}$을 백분율로 나타내면 $\frac{6}{20} \times 100 = 30$ (%)입니다.

답 : 30 %

① 땅의 넓이는 40 m^2이고, 그중 화단의 넓이는 16 m^2입니다. 땅 넓이에 대한 화단 넓이의 비율은 몇 %일까요?

답 : ______

② 아이스크림 가게에 딸기맛 아이스크림이 50개, 민트초코맛 아이스크림이 22개 있습니다. 딸기맛 아이스크림 수에 대한 민트초코맛 아이스크림 수의 비율은 몇 %일까요?

답 : ______

③ 상자 안에 검은색 바둑돌이 64개, 흰색 바둑돌이 36개로 모두 100개 들어 있습니다. 전체 바둑돌 수에 대한 검은색 바둑돌 수의 비율은 몇 %일까요?

답 : ______

5일 백분율의 활용

물음에 답하세요.

✪ 준우와 현진이는 농구 자유투 연습을 했습니다. 준우와 현진이의 자유투 성공률은 각각 몇 %인지 구하고, 누구의 자유투 성공률이 더 높은지 구해 보세요.

학생	준우	현진
시도 횟수(개)	25	20
성공 횟수(개)	17	14
성공률(%)	68 %	70 %

준우의 성공률: $\frac{17}{25} \times 100 = 68$ (%), 현진이의 성공률: $\frac{14}{20} \times 100 = 70$ (%)

현진

① 재민이네 학교 6학년 학생들을 대상으로 현장학습을 공원으로 가는 것에 찬성하는 학생 수를 조사하였습니다. 두 반의 찬성률은 각각 몇 %인지 구하고, 찬성률이 높은 반을 구해 보세요.

반	1반	2반
학생 수(명)	30	28
찬성하는 학생 수(명)	24	21
찬성률(%)		

② 숲속초등학교와 하얀초등학교의 학교 대표 선거를 하였습니다. 두 학교의 투표율은 각각 몇 %인지 구하고, 투표율이 더 높은 학교는 어느 학교인지 구해 보세요.

학교	숲속초등학교	하얀초등학교
학생 수(명)	360	400
투표에 참여한 학생 수(명)	270	280
투표율(%)		

물음에 답하세요.

어느 문구점에서 원래 가격이 5000원인 색연필 세트를 3500원에 할인하여 팔고 있습니다. 색연필 세트의 할인율은 몇 %일까요?

(할인 금액) = 5000 − 3500 = 1500(원)

(할인율) = $\frac{1500}{5000}$ × 100 = 30 (%)

답 : 30 %

① 어느 장난감 가게에서 원래 가격이 2400원인 인형을 할인하여 1800원에 팔고 있습니다. 인형의 할인율은 몇 %일까요?

답 : ______

② 어느 음식점에서 4000원짜리 음식을 할인받아 3400원에 사서 먹었습니다. 이 음식의 할인율은 몇 %일까요?

답 : ______

③ 진희는 놀이공원에 갔습니다. 놀이공원 입장료는 12000원인데 진희는 할인권을 이용하여 9600원을 냈습니다. 진희는 몇 %를 할인받았나요?

답 : ______

확인학습

물음에 답하세요.

① 직사각형의 가로는 5 cm, 세로는 3 cm입니다. 직사각형의 가로의 세로에 대한 비를 써 보세요.

답 : ________________

② 배구공이 8개, 축구공이 5개 있습니다. 전체 공 수에 대한 배구공 수의 비를 써 보세요.

답 : ________________

물음에 답하세요.

③ 빨간색 페인트 2 L와 파란색 페인트 5 L를 섞었습니다. 빨간색 페인트의 양과 파란색 페인트의 양의 비율을 분수와 소수로 각각 나타내어 보세요.

분수 : ________________ 소수 : ________________

④ 어느 독서 동호회의 남자 회원은 15명, 여자 회원은 12명입니다. 이 동호회의 여자 회원 수에 대한 남자 회원 수의 비율을 분수와 소수로 각각 나타내어 보세요.

분수 : ________________ 소수 : ________________

물음에 답하세요.

⑤ **가** 선수와 **나** 선수가 농구 자유투를 하였습니다. 가 선수는 20번의 시도 중에서 14번 성공하였고, 나 선수는 25번의 시도 중에서 16번 성공하였습니다. 두 선수의 자유투 성공 횟수의 비율을 각각 구하고, 어느 선수의 자유투 성공률이 높은지 구해 보세요.

가 선수 : ______________ **나** 선수 : ______________

성공률이 더 높은 선수 : ______________

⑥ 고속버스는 400 km를 가는 데 5시간이 걸렸고, 시외버스는 120 km를 가는 데 2시간이 걸렸습니다. 두 버스의 걸린 시간에 대한 달린 거리의 비율을 각각 구하고, 어느 버스가 더 빠른지 구해 보세요.

고속버스 : ______________ 시외버스 : ______________

더 빠른 버스 : ______________

물음에 답하세요.

⑦ 주머니 속에 파란색 공이 16개, 초록색 공이 24개로 모두 40개 들어 있습니다. 전체 공 수에 대한 파란색 공 수의 비율은 몇 %일까요?

답 : ______________

⑧ 학급 문고에는 위인전이 11권, 과학책이 14권으로 모두 25권이 있습니다. 과학책 수와 전체 책 수의 비율은 몇 %일까요?

답 : ______________

확인학습

물음에 답하세요.

⑨ 재민이네 학교 6학년 학생들을 대상으로 학급 회의 간식으로 떡볶이를 하는 것에 찬성하는 학생 수를 조사하였습니다. 두 반의 찬성률은 각각 몇 %인지 구하고, 찬성률이 높은 반을 구해 보세요.

반	1반	2반
학생 수(명)	24	20
찬성하는 학생 수(명)	18	14
찬성률(%)		

다음 물음에 답하세요.

⑩ 어느 인형 가게에서 원래 가격이 10000원인 곰 인형을 할인하여 9000원에 팔고 있습니다. 인형의 할인율은 몇 %일까요?

답 :

⑪ 어느 할인 마트에서 34000원짜리 선풍기를 할인하여 22100원에 팔고 있습니다. 선풍기의 할인율은 몇 %일까요?

답 :

2주차

여러 가지 그래프(1)

1일 그림그래프 알아보기

우리나라 권역별 초등학교 수를 조사하여 그림그래프로 나타내었습니다. 물음에 답하세요.

① 초등학교가 가장 많은 권역은 어디일까요?

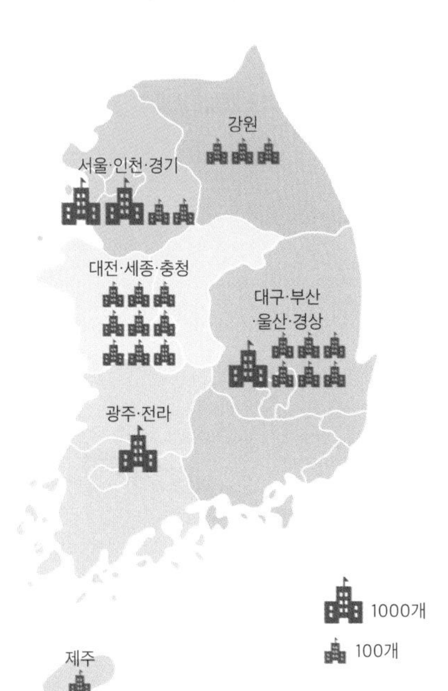

② 초등학교가 가장 적은 권역은 어디일까요?

③ 대전·세종·충청 권역의 초등학교 수는 강원 권역의 초등학교 수의 몇 배일까요?

④ 광주·전라 권역의 초등학교 수와 제주 권역의 초등학교 수의 차는 몇 개일까요?

그림의 크기에 주의해야 해.

과수원별 참외 생산량을 조사하여 그래프로 나타내었습니다. 물음에 답하세요.

과수원별 참외 생산량

과수원	생산량
가	
나	
다	
라	

가 과수원의 참외 생산량은 몇 상자일까요?

과수원	가	나	다	라
생산량(상자)	4200	5100	3500	4600

4200상자

① 참외 생산량이 가장 많은 과수원은 어디인지 써 보세요.

② 참외 생산량이 가장 적은 과수원은 어디인지 써 보세요.

③ **가** 과수원과 **다** 과수원의 참외 생산량의 합은 **라** 과수원의 참외 생산량보다 얼마나 더 많은가요?

그림그래프로 나타내기

지역별 자동차 수를 조사하여 나타낸 표입니다. 물음에 답하세요.

지역별 자동차 수

지역	가	나	다	라
자동차 수(대)	14290	21754	7610	46049

① 지역별 자동차 수를 반올림하여 천의 자리까지 나타내세요.

지역별 자동차 수

지역	가	나	다	라
자동차 수(대)	14000			

② 표를 보고 그림그래프로 나타내세요.

지역별 자동차 수

지역	자동차 수
가	
나	
다	
라	

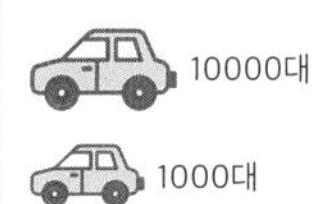

 마을별 인구 수를 조사하여 나타낸 표입니다. 물음에 답하세요.

마을별 인구 수

마을	별빛	달빛	숲속	푸른	호수
인구 수(명)	6246	4592	1830	2971	7098

① 마을별 인구 수를 반올림하여 백의 자리까지 나타내세요.

마을별 인구 수

마을	별빛	달빛	숲속	푸른	호수
인구 수(명)	6200				

② 표를 보고 그림그래프로 나타내세요.

마을별 인구 수

마을	인구 수
별빛	
달빛	
숲속	
푸른	
호수	

3일 띠그래프 알아보기

물음에 답하세요.

✪ 다음은 준호네 학교 학생 120명이 좋아하는 과일을 조사하여 나타낸 띠그래프입니다. 사과를 좋아하는 학생은 몇 명일까요?

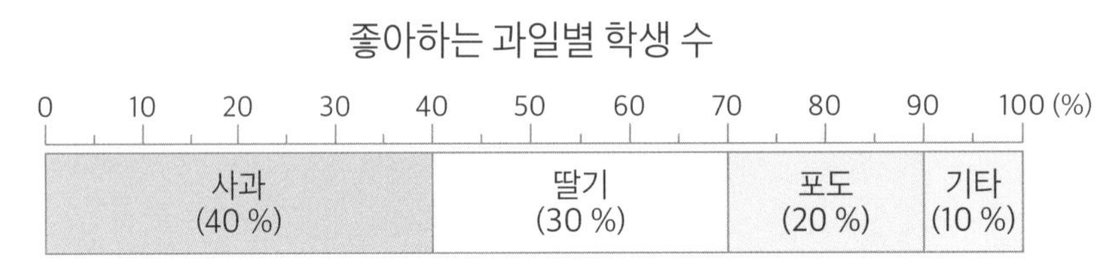

답 : 48명

(사과를 좋아하는 학생 수) = $120 \times \frac{40}{100}$ = 48(명)

① 다음은 민수가 일주일에 쓴 용돈 14000원의 쓰임새를 나타낸 띠그래프입니다. 저금에 사용한 금액은 얼마일까요?

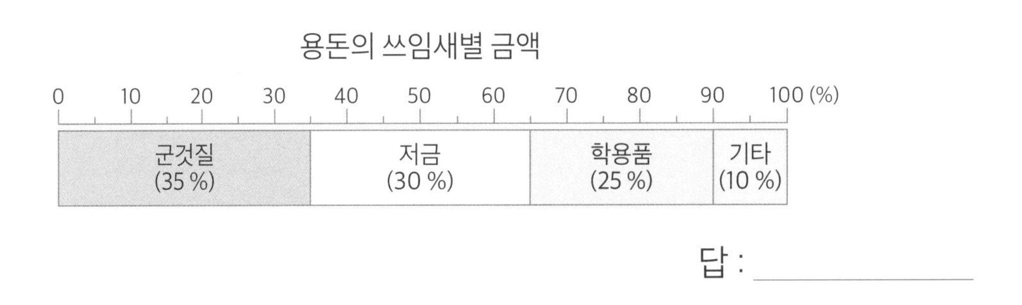

답 : ____________

② 다음은 혜진이네 학교 6학년 학생 180명이 좋아하는 전통 놀이를 조사하여 나타낸 띠그래프입니다. 제기차기를 좋아하는 학생은 몇 명일까요?

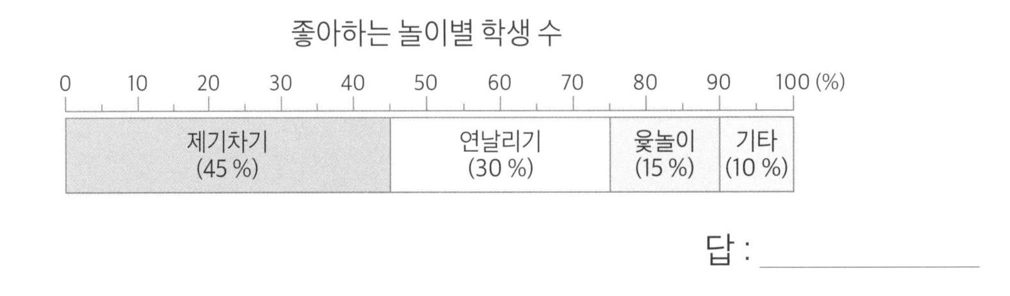

답 : ____________

물음에 답하세요.

✪ 정민이네 학교 학생 200명이 생일 때 받고 싶은 선물을 조사하여 나타낸 띠그래프입니다. 스마트폰을 받고 싶은 학생 수는 기프트카드를 받고 싶은 학생 수보다 얼마나 더 많을까요?

받고 싶은 선물별 학생 수

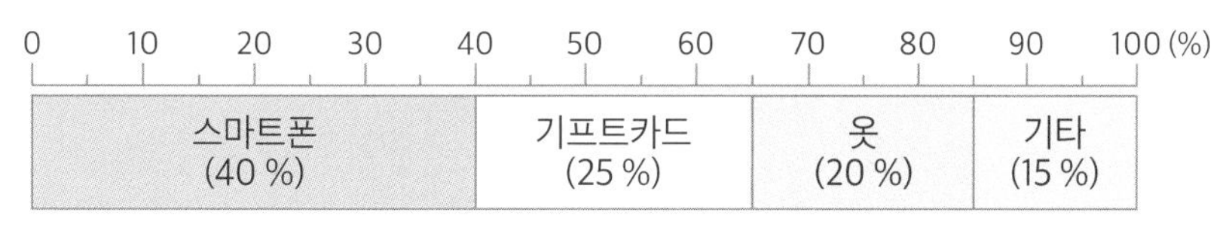

답 : 30명

(스마트폰) = $200 \times \frac{40}{100}$ = 80(명), (기프트카드) = $200 \times \frac{25}{100}$ = 50(명) → 80 − 50 = 30(명)

① 민우네 학교 학생 240명이 좋아하는 운동을 조사하여 나타낸 띠그래프입니다. 축구를 좋아하는 학생 수는 야구를 좋아하는 학생 수보다 얼마나 더 많을까요?

좋아하는 운동별 학생 수

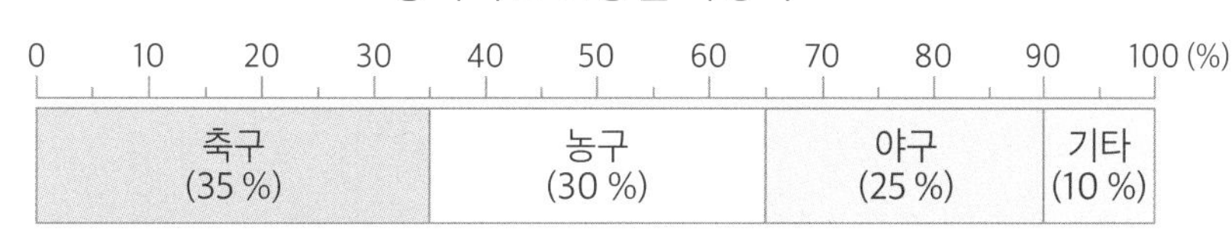

답 : ______________

② 효주네 반 학급 문고의 종류별 권수를 조사하여 나타낸 띠그래프입니다. 전체 책의 수가 300권일 때 가장 많이 있는 책의 수와 가장 적게 있는 책의 수의 차를 구해 보세요.

학급 문고의 종류별 권수

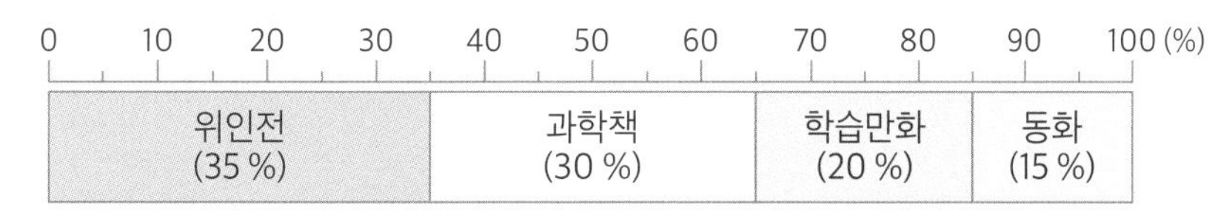

답 : ______________

물음에 답하세요.

✪ 광일이네 학교 6학년 학생이 좋아하는 간식을 조사하여 나타낸 표입니다. 표를 완성한 후 띠그래프로 나타내어 보세요.

좋아하는 간식별 학생 수

간식	치킨	피자	떡볶이	햄버거	합계
학생 수(명)	56	48	32	24	160
백분율(%)	35	30	20	15	100

좋아하는 과일별 학생 수

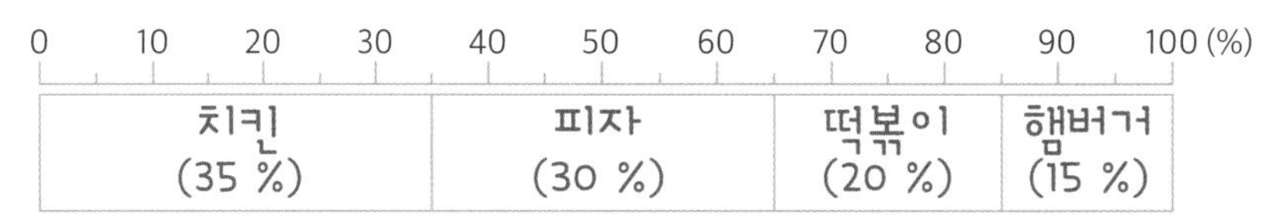

(치킨) = $\frac{56}{160} \times 100 = 35$ (%), (피자) = $\frac{48}{160} \times 100 = 30$ (%)

(떡볶이) = $\frac{32}{160} \times 100 = 20$ (%), (햄버거) = $\frac{24}{160} \times 100 = 15$ (%)

① 민정이네 학교 6학년 학생이 여행 가고 싶은 나라를 조사하여 나타낸 표입니다. 표를 완성한 후 띠그래프로 나타내어 보세요.

여행 가고 싶은 나라별 학생 수

나라	미국	프랑스	호주	태국	합계
학생 수(명)		30	24	18	120
백분율(%)					100

여행 가고 싶은 나라별 학생 수

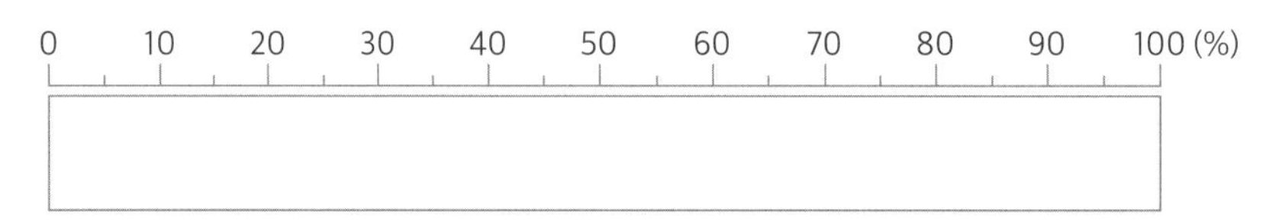

백분율의 합계가
100%가 되는지
꼭 확인해.

② 태연이네 농장에서 키우고 있는 동물 수를 조사하여 나타낸 표입니다. 표를 완성한 후 띠그래프로 나타내어 보세요.

종류별 동물 수

동물	돼지	소	닭	양	합계
동물 수(마리)	60		30	15	150
백분율(%)					100

종류별 동물 수

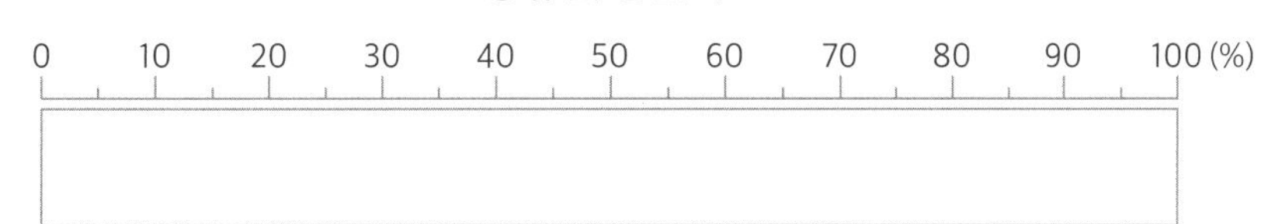

③ 종민이네 학교에서 일주일 동안 배출한 재활용품 양을 조사하여 나타낸 표입니다. 표를 완성한 후 띠그래프로 나타내어 보세요.

재활용품의 종류별 배출량

종류	종이류	플라스틱류	병류	캔류	비닐류	합계
배출량(kg)		50	40	20	10	200
백분율(%)						100

재활용품의 종류별 배출량

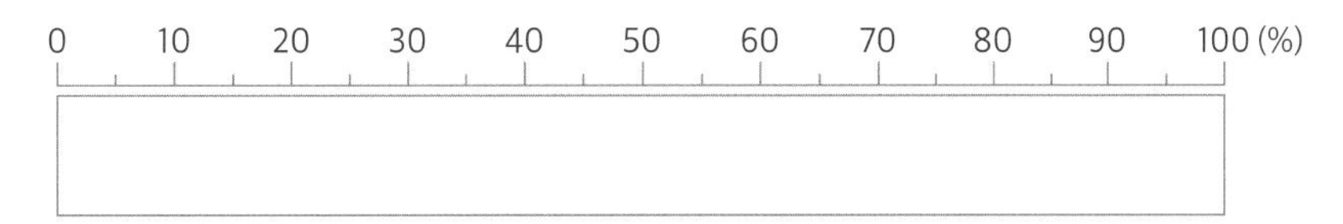

5일 띠그래프 해석하기

은정이네 학교 학생들의 혈액형을 조사하여 나타낸 띠그래프입니다.
물음에 답하세요.

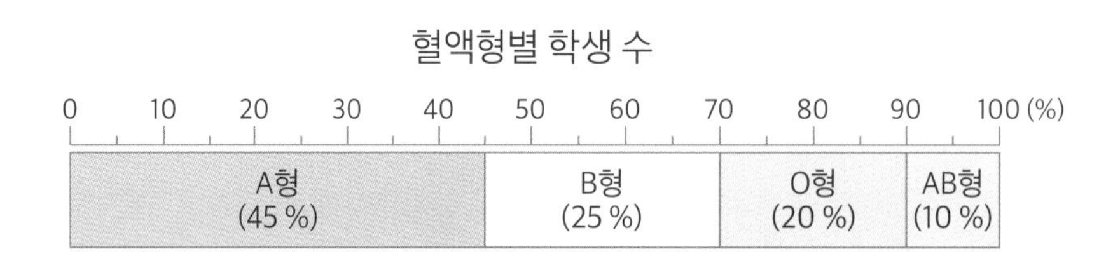

① 학생 수가 가장 적은 혈액형은 무엇일까요?

답 : ______________

② O형인 학생 수는 AB형인 학생 수의 몇 배일까요?

답 : ______________

③ B형인 학생이 30명일 때 AB형인 학생은 몇 명일까요?

답 : ______________

④ 전체 학생 수는 몇 명일까요?

답 : ______________

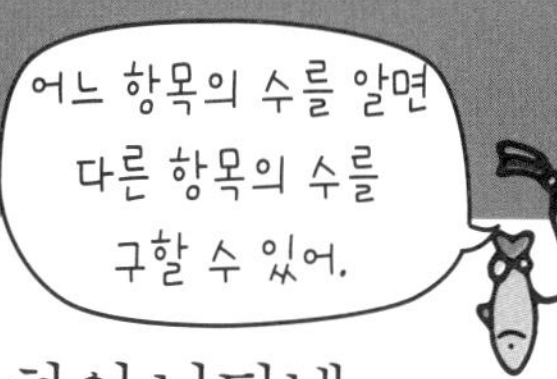

민주네 학교 6학년 학생들이 좋아하는 과목을 조사하여 나타낸 띠그래프입니다. 물음에 답하세요.

좋아하는 과목별 학생 수

음악 (30 %)	체육	수학 (20 %)	과학 (10 %)	기타 (20 %)

(눈금: 0, 10, 20, 30, 40, 50, 60, 70, 80, 90, 100 (%))

① 체육을 좋아하는 학생은 전체의 몇 %일까요?

답 : ____________

② 가장 많은 학생들이 좋아하는 과목은 무엇일까요?

답 : ____________

③ 수학을 좋아하는 학생 수는 과학을 좋아하는 학생 수의 몇 배일까요?

답 : ____________

④ 과학을 좋아하는 학생이 4명일 때 음악을 좋아하는 학생은 몇 명일까요?

답 : ____________

확인학습

마을별 초등학생 수를 조사하여 나타낸 표입니다. 물음에 답하세요.

마을별 초등학생 수

마을	가	나	다	라
초등학생 수(명)	52321	24908	43412	80525

① 마을별 초등학생 수를 반올림하여 천의 자리까지 나타내세요.

마을별 초등학생 수

마을	가	나	다	라
초등학생 수(명)	52000			

② 표를 보고 그림그래프로 나타내세요.

마을별 초등학생 수

마을	초등학생 수
가	
나	
다	
라	

10000명

1000명

③ 초등학생 수가 가장 많은 마을은 어느 마을인지 써 보세요.

물음에 답하세요.

④ 민호네 학교 6학년 학생이 좋아하는 동물을 조사하여 나타낸 표입니다. 표를 완성한 후 띠그래프로 나타내어 보세요.

좋아하는 동물별 학생 수

동물	개	고양이	햄스터	토끼	합계
학생 수(명)	28	24		12	80
백분율(%)					100

좋아하는 동물별 학생 수

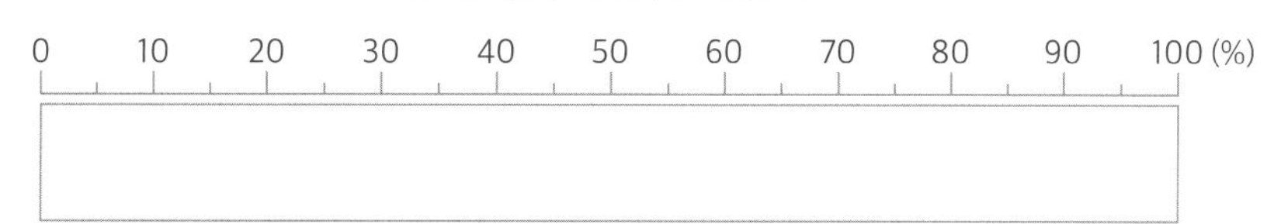

⑤ 종우네 학교 6학년 학생이 좋아하는 운동을 조사하여 나타낸 표입니다. 표를 완성한 후 띠그래프로 나타내어 보세요.

좋아하는 운동별 학생 수

운동	축구	배구	야구	농구	합계
학생 수(명)	20		10	5	50
백분율(%)					100

좋아하는 운동별 학생 수

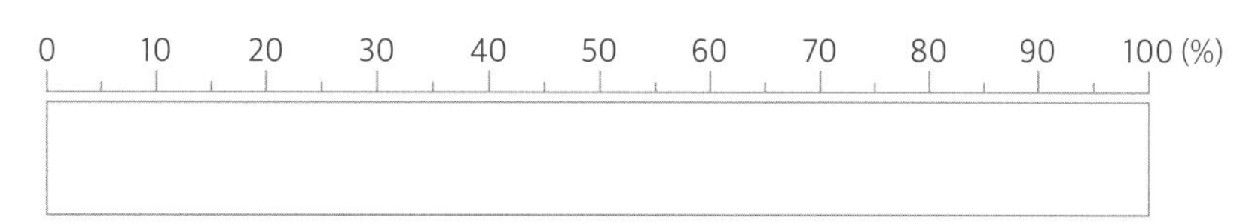

확인학습

어느 공원에 심어져 있는 나무의 종류를 조사하여 나타낸 띠그래프입니다. 물음에 답하세요.

종류별 나무 수

단풍나무 (40 %)	은행나무	소나무 (20 %)	기타 (10 %)

(눈금: 0, 10, 20, 30, 40, 50, 60, 70, 80, 90, 100 (%))

⑥ 은행나무 수는 전체의 몇 %일까요?

답 : ____________

⑦ 가장 많이 심어져 있는 나무는 무엇일까요?

답 : ____________

⑧ 단풍나무 수는 소나무 수의 몇 배일까요?

답 : ____________

⑨ 소나무 수가 84그루라면 전체 나무 수는 몇 그루일까요?

답 : ____________

3주차

여러 가지 그래프(2)

1일 원그래프 알아보기

물음에 답하세요.

다음은 제동이네 학교 학생 160명의 장래 희망을 조사하여 나타낸 원그래프입니다. 장래 희망이 의사인 학생은 몇 명일까요?

장래 희망별 학생 수

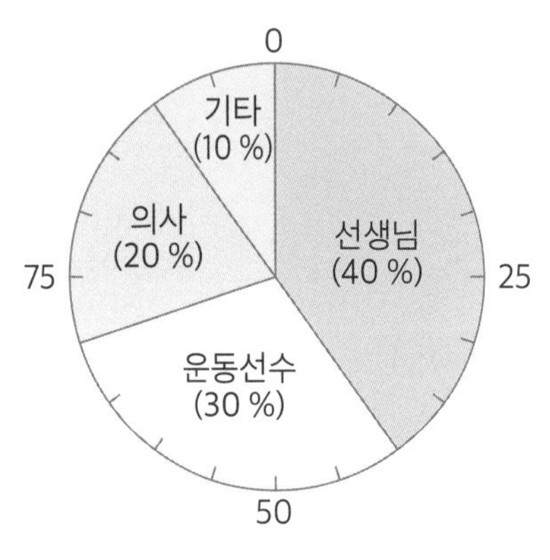

(장래 희망이 의사인 학생 수) = $160 \times \frac{20}{100} = 32$(명)

답 : 32명

① 다음은 찬원이네 학교 6학년 학생 120명이 좋아하는 계절을 조사하여 나타낸 원그래프입니다. 가을을 좋아하는 학생은 몇 명일까요?

좋아하는 계절별 학생 수

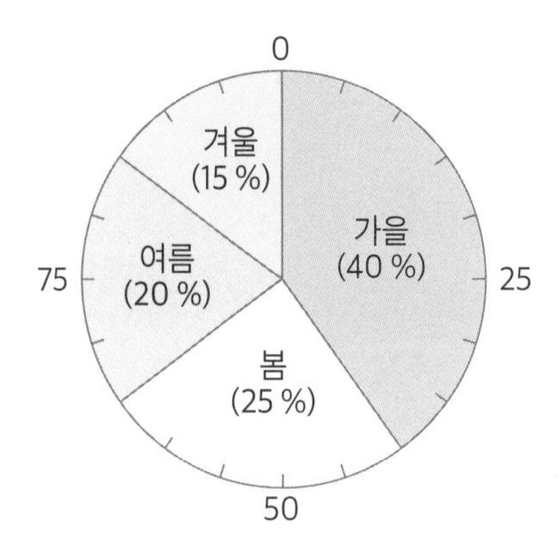

답 : ____________

비율을 원 모양에
나타낸 그래프를
원그래프라고 해.

② 다음은 민주네 과수원에서 수확한 과일을 조사하여 나타낸 원그래프입니다. 수확한 전체 과일이 모두 600개일 때 사과는 귤보다 몇 개 더 많이 수확했을까요?

과일별 수확량

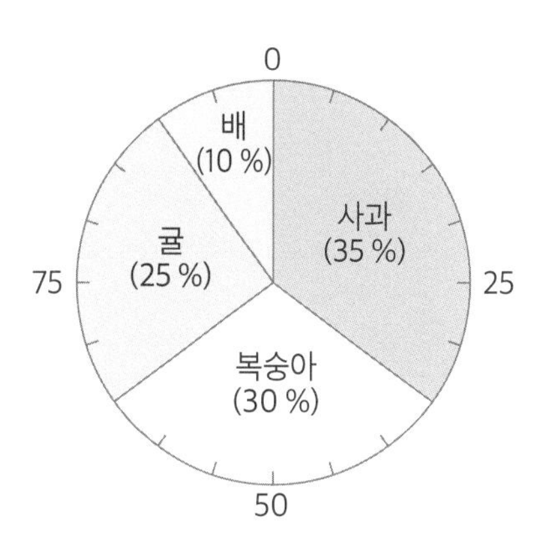

답 : ______________

③ 다음은 정국이네 학교 학생 80명이 키우고 싶은 반려동물을 조사하여 나타낸 원그래프입니다. 고양이를 키우고 싶어하는 학생 수와 앵무새를 키우고 싶어하는 학생 수의 차를 구하세요.

키우고 싶은 반려동물별 학생 수

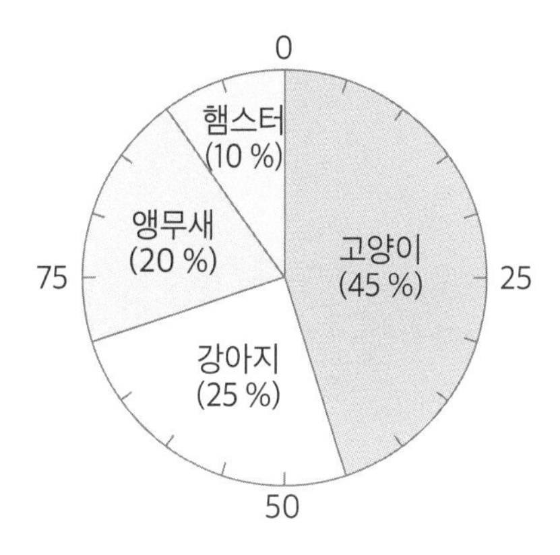

답 : ______________

2일 원그래프로 나타내기

물음에 답하세요.

① 어느 여행 동호회 회원들이 가고 싶은 도시를 조사하여 나타낸 표입니다. 표를 완성한 후 원그래프로 나타내어 보세요.

가고 싶은 도시별 회원 수

도시	회원 수(명)	백분율(%)
부산	70	35
전주	50	
공주		
춘천	40	
합계	200	100

가고 싶은 도시별 회원 수

② 현정이네 학교 학생들의 취미를 조사하여 나타낸 표입니다. 표를 완성한 후 원그래프로 나타내어 보세요.

취미별 학생 수

취미	학생 수(명)	백분율(%)
게임	120	
독서	105	
음악 감상	30	
기타	45	
합계	300	100

취미별 학생 수

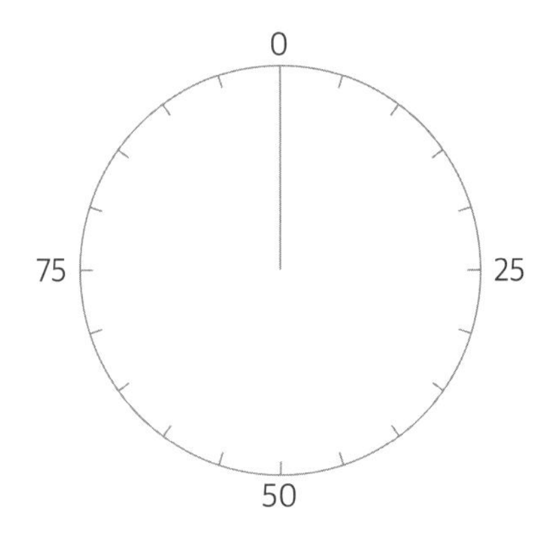

③ 정호네 학교 학생들이 배우고 있는 악기를 조사하여 나타낸 표입니다. 표를 완성한 후 원그래프로 나타내어 보세요.

배우고 있는 악기별 학생 수

취미	회원 수(명)	백분율(%)
피아노	63	
바이올린	54	
기타	36	
드럼	18	
베이스	9	
합계	180	100

배우고 있는 악기별 학생 수

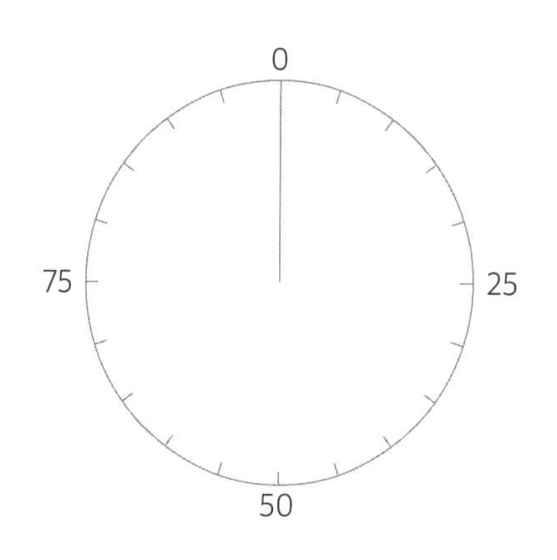

④ 태연이네 학교 학생들이 좋아하는 색깔을 조사하여 나타낸 표입니다. 표를 완성한 후 원그래프로 나타내어 보세요.

좋아하는 색깔별 학생 수

색깔	학생 수(명)	백분율(%)
빨간색	36	
초록색	30	
파란색	24	
분홍색	18	
노란색	12	
합계	120	100

좋아하는 색깔별 학생 수

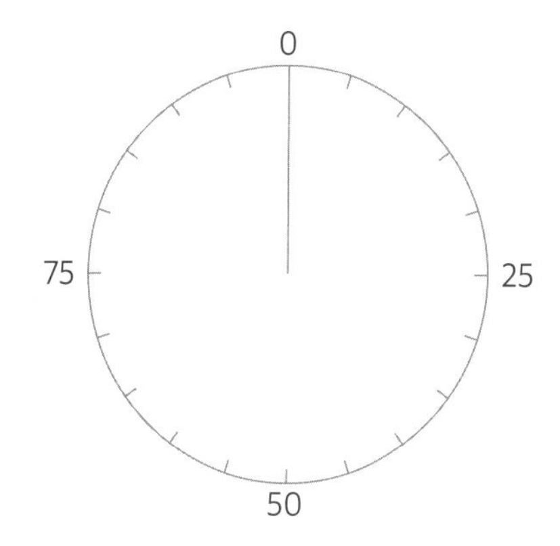

3일 원그래프 해석하기

어느 식품에 들어 있는 영양소를 조사하여 나타낸 원그래프입니다. 물음에 답하세요.

식품의 영양소

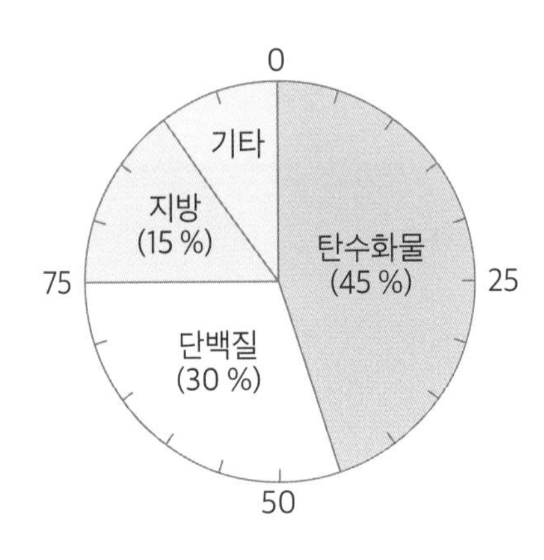

① 어느 영양소의 비율이 가장 높은가요?

답 : ______________

② 기타에 해당되는 영양소의 양은 전체의 몇 %일까요?

답 : ______________

③ 탄수화물의 양은 지방의 양의 몇 배일까요?

답 : ______________

④ 단백질의 양이 150 g이라면 지방의 양은 몇 g일까요?

답 : ______________

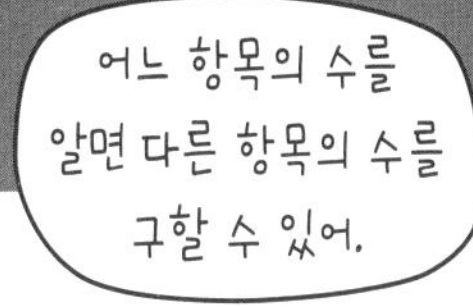

지희네 학교 6학년 학생들이 좋아하는 과목을 조사하여 나타낸 원그래프입니다. 물음에 답하세요.

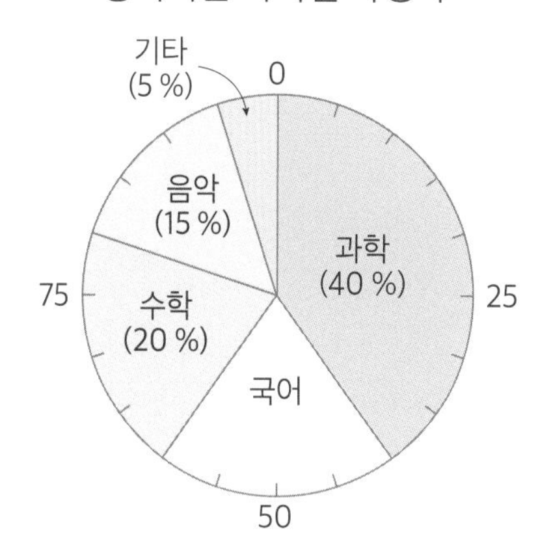

① 국어를 좋아하는 학생은 전체의 몇 %일까요?

답 : ______________

② 학생들이 가장 좋아하는 과목은 무엇인가요?

답 : ______________

③ 과학을 좋아하는 학생은 수학을 좋아하는 학생의 몇 배일까요?

답 : ______________

④ 기타에 속하는 학생이 10명일 때, 음악을 좋아하는 학생은 몇 명일까요?

답 : ______________

4일 두 그래프 해석하기

어느 동물원의 동물을 2012년과 2022년에 종류별로 조사하여 나타낸 띠그래프입니다. 물음에 답하세요.

종류별 동물 수

	원숭이	토끼	얼룩말	기타
2012년	원숭이 (34 %)	토끼	얼룩말 (27 %)	기타 (8 %)
2022년	원숭이 (37 %)	토끼	얼룩말 (25 %)	기타 (6 %)

① 2012년과 2022년의 전체 동물 수에 대한 토끼 수의 백분율을 각각 구해 보세요.

2012년 : ______ 2022년 : ______

② 2012년에 비해 2022년에 차지하는 비율이 늘어난 동물을 모두 써 보세요.

______

③ 전체 동물 수에 대한 비율의 변화가 가장 적은 동물은 어느 것일까요?

______

④ 2022년에 이 동물원의 동물은 모두 120마리입니다. 2022년에 얼룩말은 몇 마리일까요?

______

다음은 어느 지역의 2017년과 2022년에 생산된 곡식을 조사하여 각각 나타낸 원그래프입니다. 물음에 답하세요.

곡식별 생산량

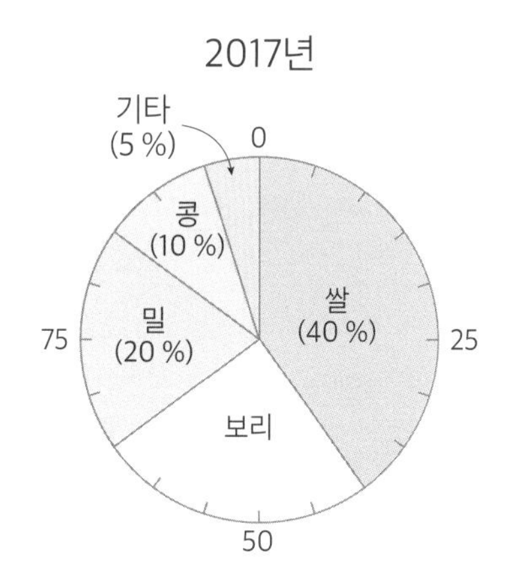

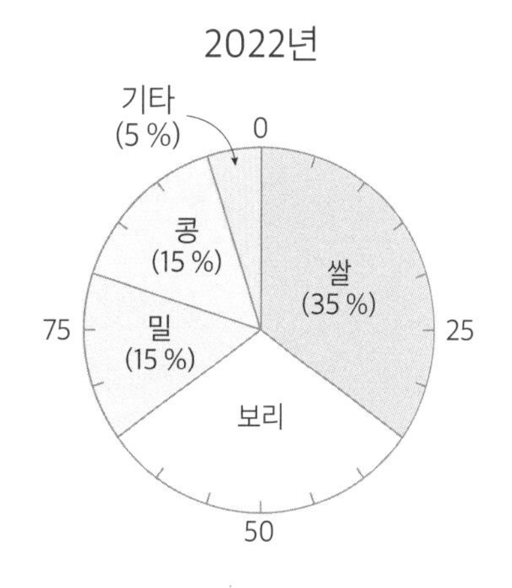

① 2017년과 2022년의 전체 곡식에 대한 보리의 백분율을 각각 구해 보세요.

2017년 : ____________ 2022년 : ____________

② 2017년에 비해 2022년에 차지하는 비율이 줄어든 곡식을 모두 써 보세요.

____

③ 콩 생산량의 비율은 2017년에 비해 2022년에 몇 배 늘었는지 기약분수로 나타내세요.

____

④ 2022년에 생산된 곡식은 500 t입니다. 2022년의 쌀의 생산량은 몇 t일까요?

____

5일 여러 가지 그래프

✿ 희진이네 학교 학생들이 스마트폰으로 가장 많이 사용하는 기능을 조사하여 나타낸 그림그래프입니다. 물음에 답하세요.

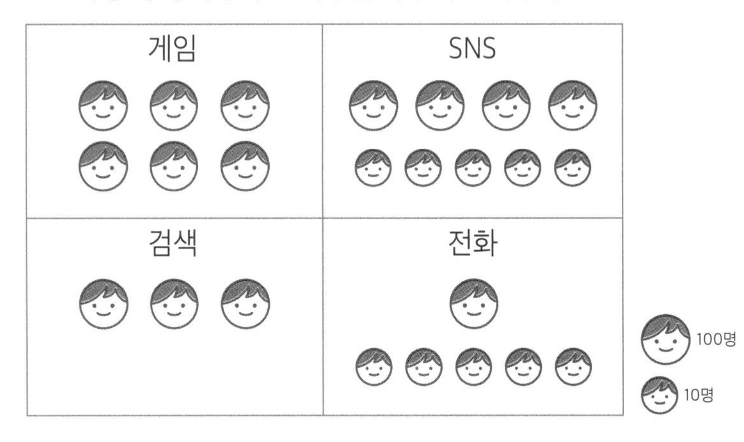

① 표로 나타내세요.

가장 많이 사용하는 기능별 학생 수

기능	게임	SNS	검색	전화	합계
학생 수(명)	600				
백분율(%)					

② 막대그래프로 나타내어 보세요.

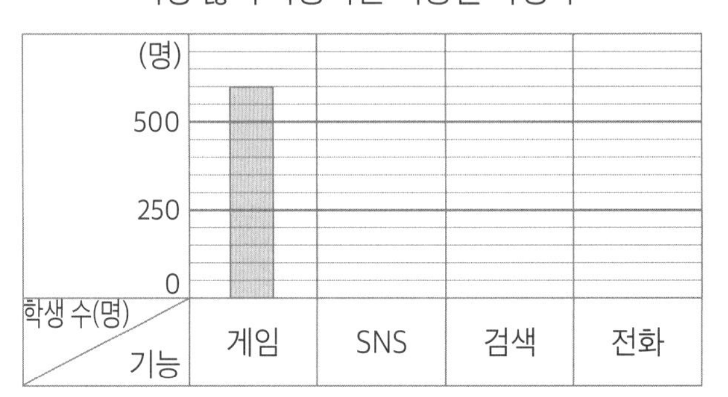

띠그래프와 원그래프는
전체에 대한 각 부분의
비율을 알아보기 쉬워.

③ 띠그래프로 나타내어 보세요.

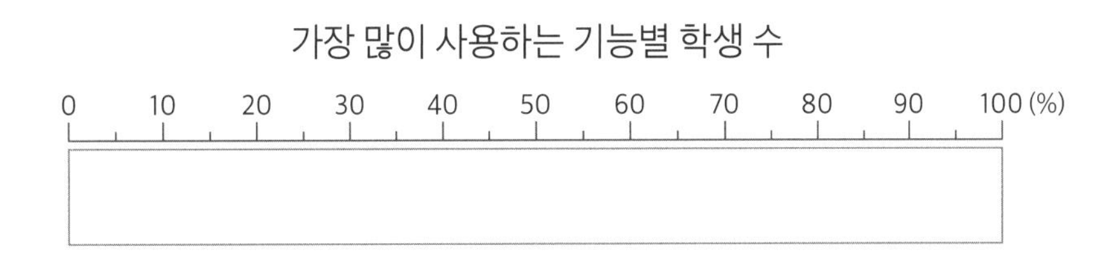

④ 원그래프로 나타내어 보세요.

가장 많이 사용하는 기능별 학생 수

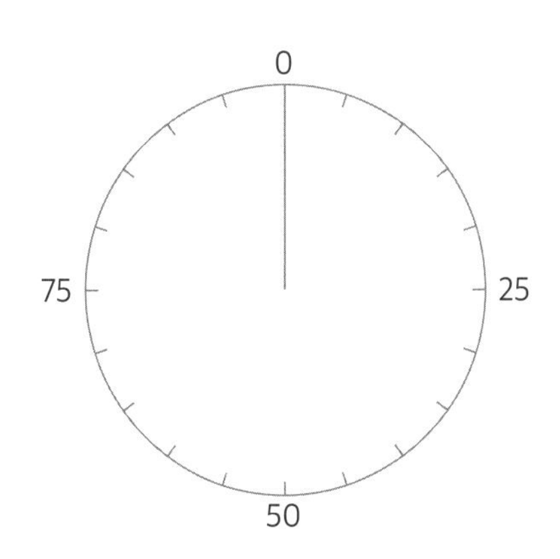

⑤ 가장 많이 사용하는 기능별 학생 수의 비율을 비교하려고 합니다. 어느 그래프로 나타내면 좋을까요? 그 이유를 써 보세요.

답 :

풀이 :

확인학습

물음에 답하세요.

① 다음은 윤철이네 학교 학생 120명이 가고 싶어하는 현장학습 장소를 조사하여 나타낸 원그래프입니다. 놀이 공원에 가고 싶어하는 학생은 몇 명일까요?

가고 싶은 현장학습 장소별 학생 수

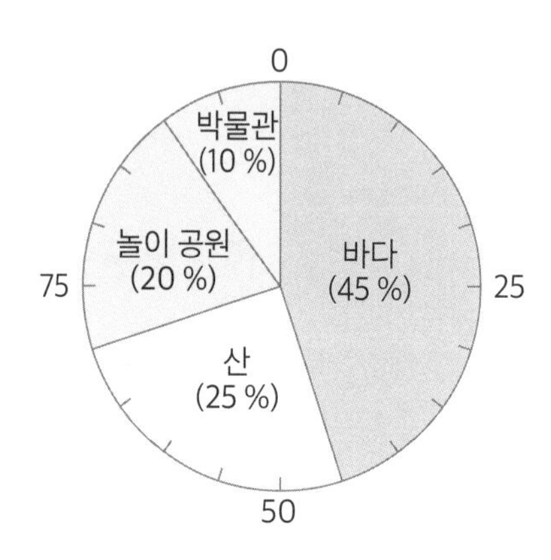

답 : ______________

물음에 답하세요.

② 구현이네 학교 학생들이 좋아하는 영화 장르를 조사하여 나타낸 표입니다. 표를 완성한 후 원그래프로 나타내어 보세요.

좋아하는 영화 장르별 학생 수

영화 장르	학생 수(명)	백분율(%)
판타지	72	40
액션	45	
공포		
드라마	27	
합계	180	100

좋아하는 영화 장르별 학생 수

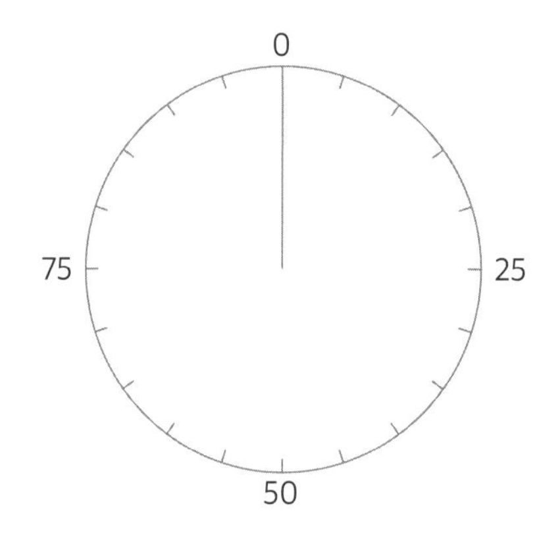

효민이네 집에 있는 가축을 종류별로 조사하여 나타낸 원그래프입니다. 물음에 답하세요.

종류별 가축 수

③ 소는 전체의 몇 %일까요?

답 : ________________

④ 가장 많은 가축은 무엇인가요?

답 : ________________

⑤ 돼지의 수는 오리의 수의 몇 배일까요?

답 : ________________

⑥ 닭이 30마리일 때, 돼지는 몇 마리일까요?

답 : ________________

확인학습

현정이네 학교 학생과 민진이네 학교 학생이 좋아하는 운동을 조사하여 나타낸 띠그래프입니다. 물음에 답하세요.

좋아하는 운동별 학생 수

	축구	야구	배구	농구
현정이네 학교	(40 %)		(15 %)	(10 %)
민진이네 학교	(45 %)		(20 %)	(5 %)

⑦ 현정이네 학교와 민진이네 학교 전체 학생 수에 대한 야구를 좋아하는 학생 수의 백분율을 각각 구해 보세요.

현정이네 학교 : ____________ 민진이네 학교 : ____________

⑧ 민진이네 학교 학생 중 야구를 좋아하는 학생은 농구를 좋아하는 학생의 몇 배일까요?

____

⑨ 현정이네 학교 학생은 340명, 민진이네 학교 학생은 300명일 때 배구를 좋아하는 학생 수가 더 많은 학교는 어디이고, 몇 명 더 많은지 구해 보세요.

____

4주차

비례식과 비례배분

1일 비의 성질

비율이 같은 비를 모두 찾아 ○표 하세요.

✪ 12 : 18

전항 후항

2 : 3 (○)	6 : 4	24 : 36 (○)	36 : 48

12 : 18의 전항과 후항을 각각 6으로 나누면 2 : 3이 됩니다.

12 : 18의 전항과 후항에 각각 2를 곱하면 24 : 36이 됩니다.

① 20 : 8

4 : 10	5 : 2	8 : 20	60 : 24

② 30 : 42

5 : 7	60 : 84	21 : 15	10 : 14

③ 24 : 18

12 : 9	18 : 24	72 : 54	3 : 2

❀ 물음에 답하세요.

✪ 넓이가 16 m^2인 땅에서 오리 6마리를 키운다고 합니다. 땅의 넓이와 오리의 수를 같은 비율로 할 때 넓이가 48 m^2인 땅에서는 오리를 몇 마리 키우면 될까요?

땅의 넓이와 오리의 수의 비는 16 : 6입니다.
16 : 6의 전항과 후항에 3을 곱하면 48 : 18입니다.

답 : 18마리

① 가로가 21 cm, 세로가 18 cm인 직사각형 모양의 액자가 있습니다. 가로와 세로를 같은 비율로 다른 액자를 만들 때 가로가 7 cm이면 세로는 몇 cm일까요?

답 : ______

② 문정이네 학교 6학년 남학생 수는 60명, 여학생 수는 80명입니다. 남학생 수와 여학생 수를 같은 비율로 반 배정을 할 때 한 반에 남학생 수가 15명이면 여학생 수는 몇 명일까요?

답 : ______

③ 양념 간장을 만들기 위해서는 설탕을 4숟가락, 간장을 12숟가락 넣어야 합니다. 설탕과 간장을 같은 비율로 양념 간장을 만들 때 설탕을 16숟가락 넣으면 간장은 몇 숟가락 넣어야 할까요?

답 : ______

2일 간단한 자연수의 비

□ 안에 알맞은 수를 써넣어 간단한 자연수의 비로 나타내세요.

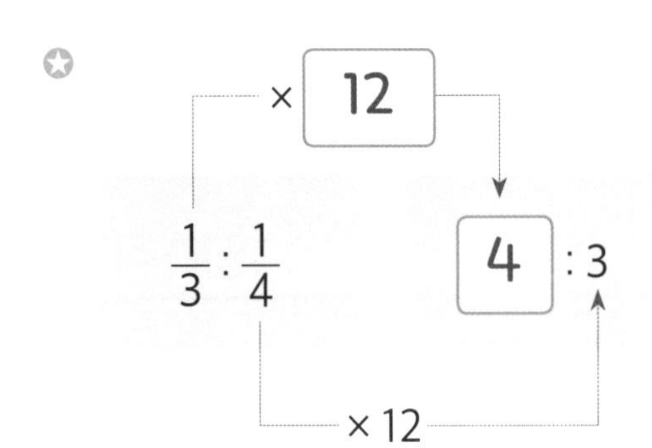

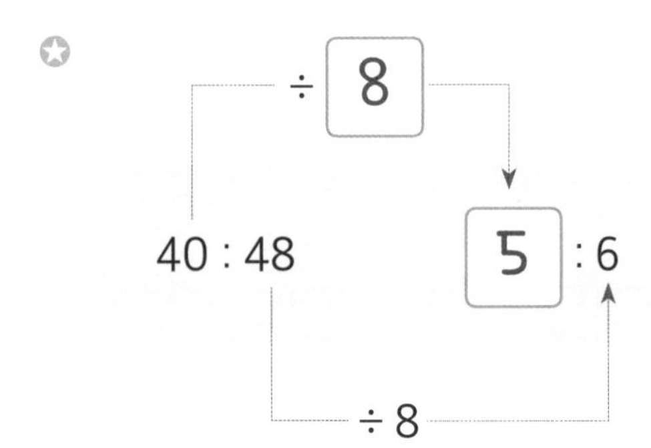

①
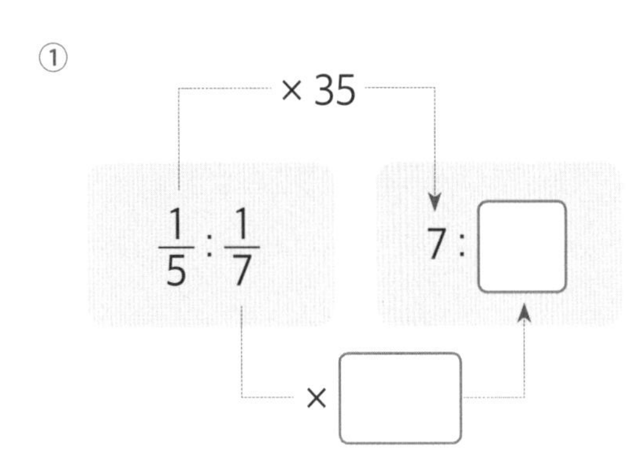

②
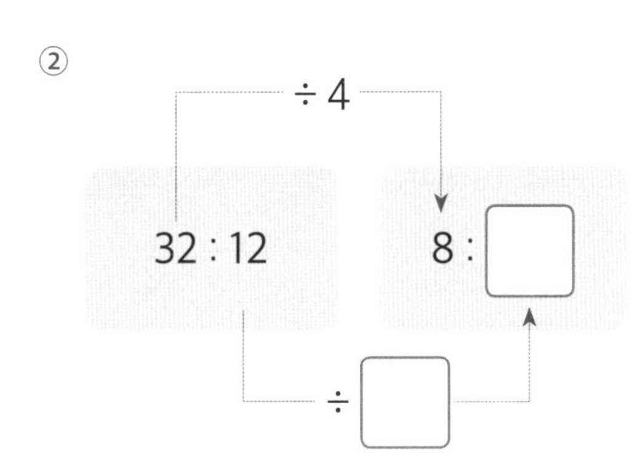

③
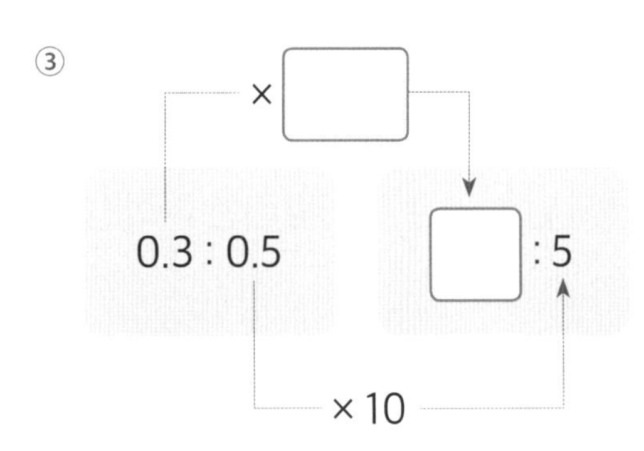

④
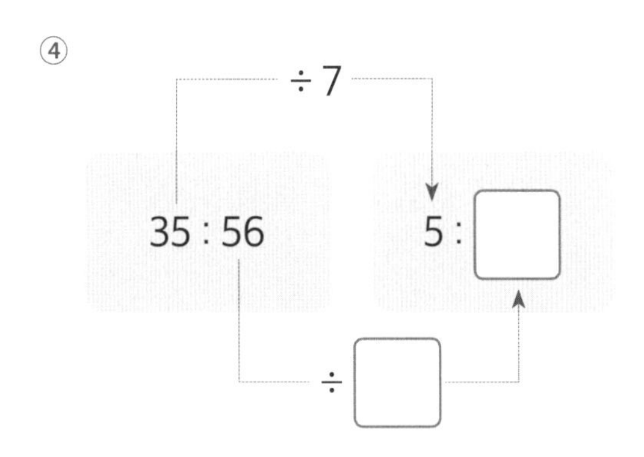

⑤
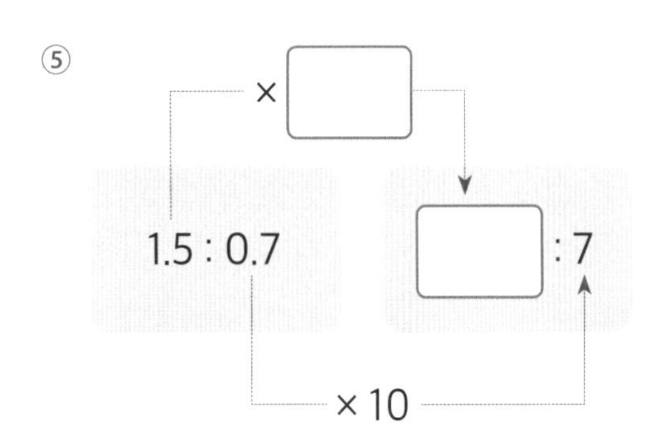

⑥
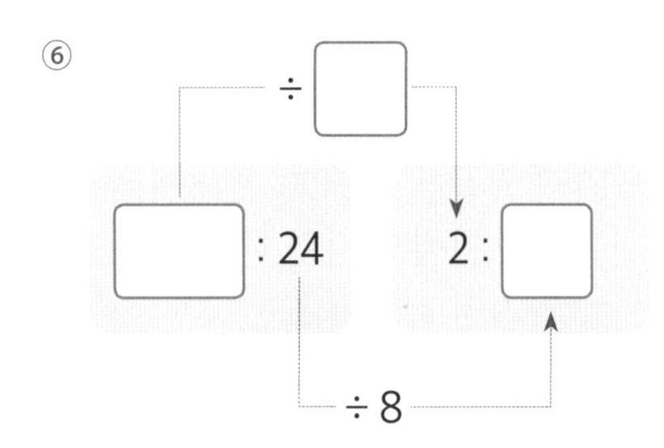

물음에 답하세요.

✪ 찬원이와 희영이가 같은 책을 1시간 동안 읽었는데 찬원이는 전체의 $\frac{1}{5}$을, 희영이는 전체의 $\frac{1}{3}$을 읽었습니다. 찬원이와 희영이가 각각 1시간 동안 읽은 책의 양을 간단한 자연수의 비로 나타내어 보세요.

$\frac{1}{5}$: $\frac{1}{3}$의 전항과 후항에 15를 곱하면 3 : 5가 됩니다.

답 : 3 : 5

① 준우네 학교 6학년 남학생은 84명, 여학생은 98명입니다. 남학생 수와 여학생 수의 비를 간단한 자연수의 비로 나타내어 보세요.

답 :

② 밑변의 길이가 1.6 cm, 높이가 $1\frac{1}{5}$ cm인 삼각형이 있습니다. 삼각형의 밑변의 길이와 높이의 비를 간단한 자연수의 비로 나타내어 보세요.

답 :

③ 현우는 레몬차를 만들기 위해 레몬 원액 0.6 L와 물 4.5 L를 섞었습니다. 레몬 원액의 양과 물의 양의 비를 간단한 자연수의 비로 나타내어 보세요.

답 :

3일 비례식

비율이 같은 두 비를 찾아 비례식을 세워 보세요.

☆

4 : 3	6 : 8	2 : 3	8 : 12	8 : 16

각각의 비율을 구하면 4 : 3 → $\frac{4}{3}$, 6 : 8 → $\frac{3}{4}$, 2 : 3 → $\frac{2}{3}$, 8 : 12 → $\frac{2}{3}$, 8 : 16 → $\frac{1}{2}$

답 : 2 : 3 = 8 : 12

①

3 : 7	2 : 5	10 : 4	12 : 21	6 : 15

답 :

②

6 : 9	$\frac{1}{2} : \frac{3}{8}$	4 : 3	12 : 16	16 : 9

답 :

③

7 : 4	0.9 : 0.4	4 : 9	7 : 16	27 : 12

답 :

비례식의 성질을 이용하여 □ 안에 알맞은 수를 써넣으세요.

✪ 외항
$\boxed{70} : 21 = 10 : 3$
내항

$\square \times 3 = 21 \times 10$, $\square \times 3 = 210$, $\square = 70$

① $4 : 7 = \square : 28$

② $15 : \square = 3 : 7$

③ $2 : 3 = 8 : \square$

④ $48 : 8 = 36 : \square$

⑤ $25 : 15 = \square : 12$

⑥ $\frac{1}{2} : \square = 4 : 8$

⑦ $\square : 10 = \frac{3}{5} : \frac{1}{4}$

⑧ $2 : \square = 0.6 : 1.5$

⑨ $\square : 5.2 = 5 : 4$

4일 비례식의 활용

알맞은 식을 쓰고 답을 구하세요.

✪ 고추장과 설탕을 9 : 4로 섞어서 떡볶이 양념을 만들려고 합니다. 고추장을 27컵 넣었다면 설탕은 몇 컵을 넣어야 하는지 구해 보세요.

식 : 9 : 4 = 27 : □ 답 : 12컵

9 × □ = 4 × 27, 9 × □ = 108, □ = 12

① 민수는 스케치북에 직사각형의 가로와 세로의 비를 3 : 2로 직사각형을 그리려고 합니다. 세로를 12 cm로 할 때 가로는 몇 cm로 그려야 하는지 구해 보세요.

식 : ______________________ 답 : ____________

② 소금과 물의 양의 비가 7 : 11인 소금물이 있습니다. 소금의 양이 35 g이면 물의 양은 몇 g인지 구해 보세요.

식 : ______________________ 답 : ____________

③ 검은색 바둑돌과 흰색 바둑돌 수의 비는 6 : 5입니다. 흰색 바둑돌이 30개 있다면 검은색 바둑돌은 몇 개 있는지 구해 보세요.

식 : ______________________ 답 : ____________

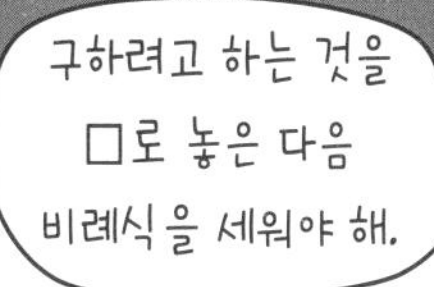

알맞은 식을 쓰고 답을 구하세요.

✪ 복사기로 7초에 6장을 복사할 수 있습니다. 36장을 복사하려면 시간이 몇 초가 걸리는지 구해 보세요.

식 : 7 : 6 = □ : 36 답 : 42초

6 × □ = 7 × 36, 6 × □ = 252, □ = 42

① 1 L짜리 주스 2통은 6000원입니다. 주스 6통을 사려면 얼마가 필요한지 구해 보세요.

식 : ______________________ 답 : ____________

② 떡볶이 3인분을 만드는 데 떡이 270 g 필요하다면 떡볶이 8인분을 만드는 데 필요한 떡은 몇 g인지 구해 보세요.

식 : ______________________ 답 : ____________

③ 일정한 빠르기로 4시간 동안 240 km를 달릴 수 있는 차가 있습니다. 같은 빠르기로 90 km를 달리려면 몇 시간 몇 분이 걸리는지 구해 보세요.

식 : ______________________ 답 : ____________

5일 비례배분

○ 안의 수를 주어진 비로 비례배분하려고 합니다. □ 안에 알맞은 수를 써 넣으세요.

✪ (24) ➡ 3 : 5

$24\times\frac{3}{\boxed{3}+\boxed{5}}=24\times\frac{\boxed{3}}{\boxed{8}}=\boxed{9}$, $24\times\frac{5}{\boxed{3}+\boxed{5}}=24\times\frac{\boxed{5}}{\boxed{8}}=\boxed{15}$

① (45) ➡ 7 : 2

$45\times\frac{7}{\square+\square}=45\times\frac{\square}{\square}=\square$, $45\times\frac{2}{\square+\square}=45\times\frac{\square}{\square}=\square$

② (84) ➡ 3 : 4

$84\times\frac{3}{\square+\square}=84\times\frac{\square}{\square}=\square$, $84\times\frac{4}{\square+\square}=84\times\frac{\square}{\square}=\square$

③ (60) ➡ 8 : 7

$60\times\frac{8}{\square+\square}=60\times\frac{\square}{\square}=\square$, $60\times\frac{7}{\square+\square}=60\times\frac{\square}{\square}=\square$

 알맞은 식을 쓰고 답을 구하세요.

✪ 미주네 학교 전체 학생은 540명이고 남학생 수와 여학생 수의 비는 4 : 5입니다. 여학생은 몇 명인지 구해 보세요.

식 : $540 \times \frac{5}{4+5} = 300$ 답 : 300명

① 어느 날 낮과 밤의 길이의 비가 5 : 3이라면 밤은 몇 시간인지 구해 보세요.

식 : ______ 답 : ______

② 성민이와 동생이 용돈 12000원을 7 : 5로 나누어 가지려고 합니다. 성민이는 얼마를 가지게 되는지 구해 보세요.

식 : ______ 답 : ______

③ 가로와 세로의 비가 3 : 8이고 둘레가 66 cm인 직사각형이 있습니다. 이 직사각형의 가로를 구해 보세요.

식 : ______ 답 : ______

확인학습

물음에 답하세요.

① 넓이가 12 m^2인 땅에서 닭 3마리를 키운다고 합니다. 땅의 넓이와 닭의 수를 같은 비율로 할 때 넓이가 60 m^2인 땅에서는 닭을 몇 마리 키우면 될까요?

답 : ______________

② 정화네 학교 6학년 남학생 수는 80명, 여학생 수는 100명입니다. 남학생 수와 여학생 수를 같은 비율로 반 배정을 할 때 한 반에 여학생 수가 10명이면 남학생 수는 몇 명일까요?

답 : ______________

물음에 답하세요.

③ 지우와 학승이가 같은 일을 1시간 동안 하였는데 지우는 전체의 $\frac{1}{4}$을, 학승이는 전체의 $\frac{1}{7}$을 했습니다. 지우와 학승이가 각각 1시간 동안 한 일의 양을 간단한 자연수의 비로 나타내어 보세요.

답 : ______________

④ 밑변의 길이가 2.4 cm, 높이가 $1\frac{3}{5}$ cm인 평행사변형이 있습니다. 평행사변형의 밑변의 길이와 높이의 비를 간단한 자연수의 비로 나타내어 보세요.

답 : ______________

알맞은 식을 쓰고 답을 구하세요.

⑤ 초록색 구슬과 노란색 구슬 수의 비는 4 : 7입니다. 초록색 구슬이 24개 있다면 노란색 구슬은 몇 개 있는지 구해 보세요.

식 : ______________________ 답 : ____________

⑥ 가로와 세로의 비가 5 : 3인 직사각형이 있습니다. 세로가 15 cm일 때 가로는 몇 cm인지 구해 보세요.

식 : ______________________ 답 : ____________

⑦ 4초에 9장을 출력할 수 있는 프린터가 있습니다. 54장을 출력하는 데 몇 초가 걸리는지 구해 보세요.

식 : ______________________ 답 : ____________

⑧ 국수 4인분을 만드는 데 소면이 840 g 필요하다면 국수 10인분을 만드는 데 필요한 소면은 몇 g인지 구해 보세요.

식 : ______________________ 답 : ____________

확인학습

알맞은 식을 쓰고 답을 구하세요.

⑨ 은주네 학교 전체 학생은 520명이고 남학생 수와 여학생 수의 비는 6 : 7입니다. 여학생은 몇 명인지 구해 보세요.

식 : ______________________ 답 : ______________

⑩ 나무 280그루를 공원과 거리에 3 : 4로 나누어 심었습니다. 거리에 심은 나무는 몇 그루인지 구해 보세요.

식 : ______________________ 답 : ______________

⑪ 귤 150개를 은지와 영수가 3 : 7로 나누어 가지려고 합니다. 은지는 몇 개를 가지게 되는지 구해 보세요.

식 : ______________________ 답 : ______________

⑫ 가로와 세로의 비가 5 : 9이고 둘레가 140 cm인 직사각형이 있습니다. 이 직사각형의 세로를 구해 보세요.

식 : ______________________ 답 : ______________

진단평가

진단평가에는 앞에서 학습한 4주차의 문장제 활동이 순서대로 나옵니다. 잘못 푼 문제가 있으면 몇 주차인지 확인하여 반드시 한 번 더 복습해 봅니다.

1주차	3주차
2주차	4주차

1회차

진단평가

물음에 답하세요.

① 주머니 속에 검은색 바둑돌이 6개, 흰색 바둑돌이 11개 있습니다. 검은색 바둑돌 수와 흰색 바둑돌 수의 비를 써 보세요.

답 : ____________

② 전체 학생은 16명이고, 동생이 있는 학생은 7명일 때 전체 학생에 대한 동생이 있는 학생 수의 비를 써 보세요.

답 : ____________

물음에 답하세요.

③ 우성이네 학교 6학년 학생이 체육 시간에 가장 하고 싶어하는 활동을 조사하여 나타낸 표입니다. 표를 완성한 후 띠그래프로 나타내어 보세요.

활동별 학생 수

활동	축구	피구	발야구	줄넘기	합계
학생 수(명)	56		21	14	140
백분율(%)					100

활동별 학생 수

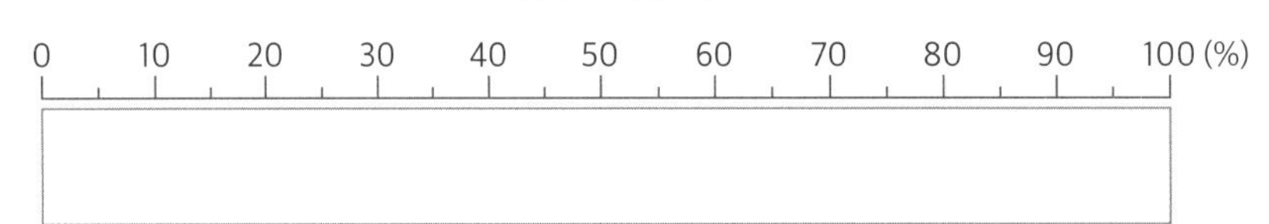

물음에 답하세요.

④ 다음은 어느 채소 가게에서 하루 동안 판매한 채소를 조사하여 나타낸 원그래프입니다. 판매한 전체 채소가 모두 400개일 때 오이는 당근보다 몇 개 더 많이 팔렸을까요?

채소별 판매량

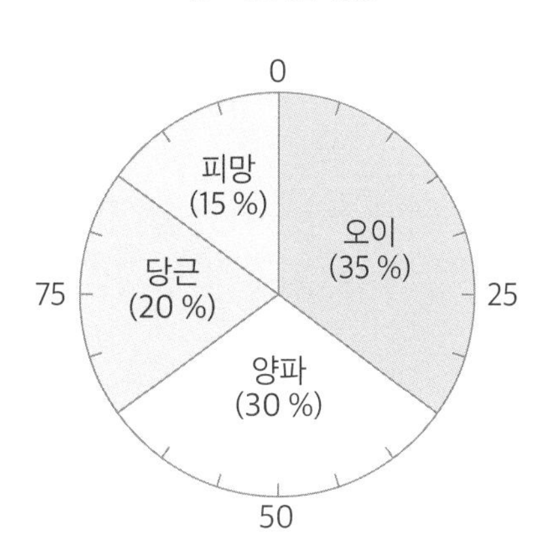

답 : ______________

알맞은 식을 쓰고 답을 구하세요.

⑤ 소금과 물의 양의 비가 6 : 5인 소금물이 있습니다. 소금의 양이 72 g이면 물의 양은 몇 g인지 구해 보세요.

식 : ______________________________ 답 : ______________

⑥ 우유 3통은 7500원입니다. 7통을 사려면 얼마가 필요한지 구해 보세요.

식 : ______________________________ 답 : ______________

2회차

진단평가

물음에 답하세요.

① 밑변의 길이가 16 cm, 높이가 28 cm인 삼각형이 있습니다. 이 삼각형의 밑변의 길이에 대한 높이의 비율을 분수와 소수로 각각 나타내어 보세요.

분수 : ______________ 소수 : ______________

② 동전을 20번 던졌더니 그림 면이 12번 나왔습니다. 동전을 던진 횟수에 대한 그림 면이 나온 횟수의 비율을 분수와 소수로 각각 나타내어 보세요.

분수 : ______________ 소수 : ______________

효민이네 학교 학생들이 배우고 있는 악기를 조사하여 나타낸 띠그래프입니다. 물음에 답하세요.

악기별 학생 수

피아노 (30 %)	전자기타 (25 %)	바이올린 (20 %)	첼로	베이스 (10 %)

③ 첼로를 배우고 있는 학생은 전체의 몇 %일까요?

답 : ______________

④ 베이스를 배우고 있는 학생이 14명일 때 피아노를 배우고 있는 학생은 몇 명일까요?

답 : ______________

물음에 답하세요.

⑤ 은비네 학교 학생들의 혈액형을 조사하여 나타낸 표입니다. 표를 완성한 후 원그래프로 나타내어 보세요.

혈액형별 학생 수

장래 희망	학생 수(명)	백분율(%)
A형	91	
B형	78	
O형	65	
AB형		
합계	260	100

혈액형별 학생 수

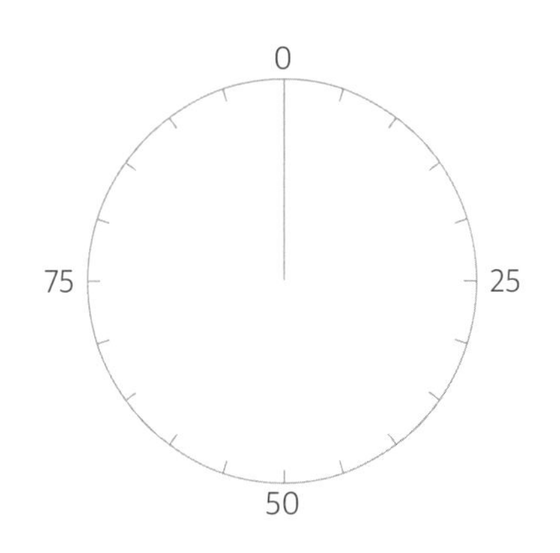

물음에 답하세요.

⑥ 가로가 27 cm, 세로가 36 cm인 직사각형 모양의 수첩이 있습니다. 가로와 세로를 같은 비율로 다른 수첩을 만들 때 가로가 3 cm이면 세로는 몇 cm일까요?

답 : ____________

⑦ 빵을 만들기 위해서는 밀가루를 7숟가락, 설탕을 6숟가락 넣어야 합니다. 밀가루와 설탕을 같은 비율로 빵을 만들 때 설탕을 30숟가락 넣으면 밀가루는 몇 숟가락 넣어야 할까요?

답 : ____________

3회차

진단평가

물음에 답하세요.

① 다음은 어느 두 도시의 넓이와 인구를 조사한 표입니다. 두 도시의 넓이에 대한 인구의 비율을 각각 구하고, 두 마을 중 인구가 더 밀집한 곳은 어디인지 구해 보세요.

도시	가	나
인구(명)	500000	700000
넓이 (km^2)	80	140
넓이에 대한 인구의비율		

______ 도시

물음에 답하세요.

② 다음은 미주네 반 학급 문고에 있는 책 120권의 종류를 조사하여 나타낸 띠그래프입니다. 동화책은 몇 권일까요?

종류별 책 수

동화책 (45 %)	위인전 (30 %)	과학책 (15 %)	기타 (10 %)

답 : ______

③ 다음은 찬원이네 학교 학생 200명이 좋아하는 꽃을 조사하여 나타낸 띠그래프입니다. 코스모스를 선택한 학생은 몇 명일까요?

좋아하는 꽃별 학생 수

코스모스 (35 %)	장미 (30 %)	튤립 (20 %)	개나리 (15 %)

답 : ______

월 일	
제한 시간	15분
맞은 개수	/ 7개

다음은 어느 과일 가게의 1월과 2월에 판매된 과일을 조사하여 각각 나타낸 원그래프입니다. 물음에 답하세요.

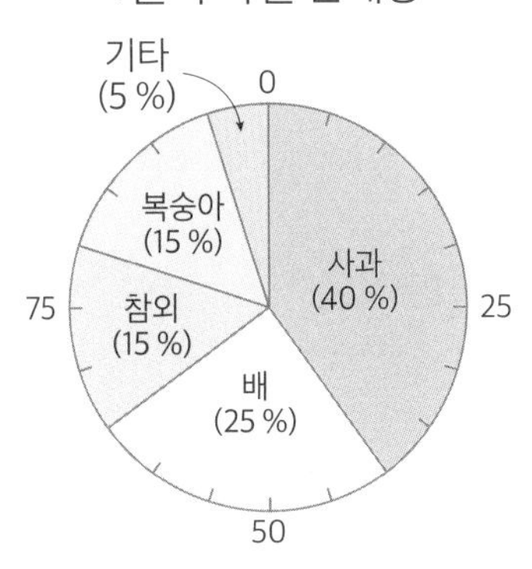

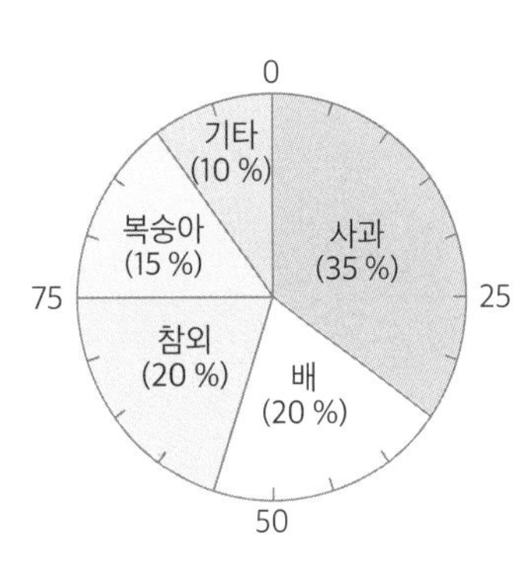

④ 1월에 비해 2월에 차지하는 비율이 줄어든 과일을 모두 써 보세요.

____

⑤ 참외 판매량의 비율은 1월에 비해 2월에 몇 배 늘었는지 기약분수로 나타내세요.

____

알맞은 식을 쓰고, 답을 구하세요.

⑥ 민수와 현진이가 35000원을 4 : 3으로 나누어 가지려고 합니다. 현진이는 얼마를 가지게 되는지 구해 보세요.

식 : ________________ 답 : ________

⑦ 어느 날 낮과 밤의 길이의 비가 5 : 7이라면 밤은 몇 시간인지 구해 보세요.

식 : ________________ 답 : ________

진단평가

물음에 답하세요.

① 꽃밭의 넓이는 60 m^2이고, 그중 장미가 심어져 있는 곳의 넓이는 21 m^2입니다. 꽃밭 넓이에 대한 장미가 심어져 있는 곳의 비율은 몇 %일까요?

답 : __________

② 상자 안에 파란색 공깃돌이 30개, 노란색 공깃돌이 12개 들어 있습니다. 노란색 공깃돌 수와 파란색 공깃돌 수의 비율은 몇 %일까요?

답 : __________

③ 마을별 당근 생산량을 조사하여 그래프로 나타내었습니다. 당근 생산량이 가장 많은 마을과 가장 적은 마을은 각각 어디인지 써 보세요.

마을별 당근 생산량

마을	생산량
가	
나	
다	
라	

1000개

100개

가장 많은 마을 : __________

가장 적은 마을 : __________

성민이네 학교 6학년 학생들이 좋아하는 계절을 조사하여 나타낸 원그래프입니다. 물음에 답하세요.

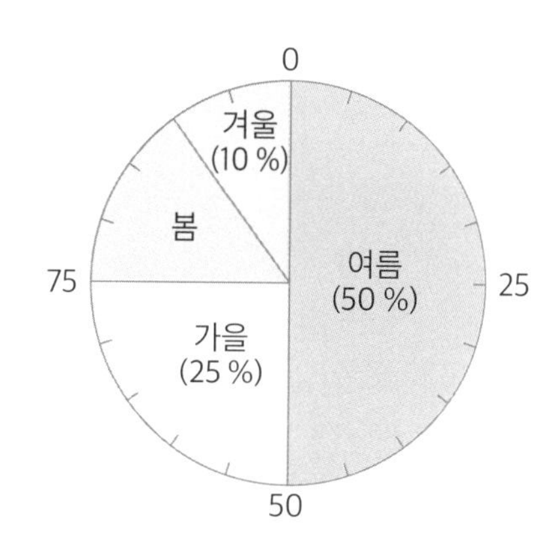

④ 봄을 좋아하는 학생은 전체의 몇 %일까요?

답 : ____________

⑤ 여름을 좋아하는 학생은 겨울을 좋아하는 학생의 몇 배일까요?

답 : ____________

⑥ 가을을 좋아하는 학생이 35명일 때, 여름을 좋아하는 학생은 몇 명일까요?

답 : ____________

알맞은 식을 쓰고 답을 구하세요.

⑦ 일정한 빠르기로 4시간 동안 280 km를 달릴 수 있는 차가 있습니다. 같은 빠르기로 105 km를 달리려면 몇 시간 몇 분이 걸리는지 구해 보세요.

식 : ____________ 답 : ____________

5회차 진단평가

물음에 답하세요.

① 어느 문구점에서 원래 가격이 4000원인 문구 세트를 3200원에 할인하여 팔고 있습니다. 문구 세트의 할인율은 몇 %일까요?

답 : ______________

② 희정이는 박물관에 갔습니다. 박물관 입장료는 7000원인데 희정이는 할인권을 이용하여 4200원을 냈습니다. 희정이는 몇 %를 할인받았나요?

답 : ______________

물음에 답하세요.

③ 지역별 공유자전거 수를 조사하여 나타낸 표와 그래프입니다. 표와 그림그래프를 각각 완성하세요.

지역별 공유자전거 수

지역	가	나	다	라
공유자전거 수(대)	4100	2600		3700

지역별 공유자전거 수

지역	공유자전거 수(대)
가	
나	
다	
라	

월 일	
제한 시간	15분
맞은 개수	/ 6개

물음에 답하세요.

④ 어느 문구점에서 하루 동안 팔린 문구를 종류별로 조사하여 나타낸 띠그래프입니다. 원그래프로 나타내어 보세요.

문구 종류별 판매량

볼펜 (35 %)	공책 (25 %)	연필 (20 %)	지우개 (10 %)	기타 (10 %)

문구 종류별 판매량

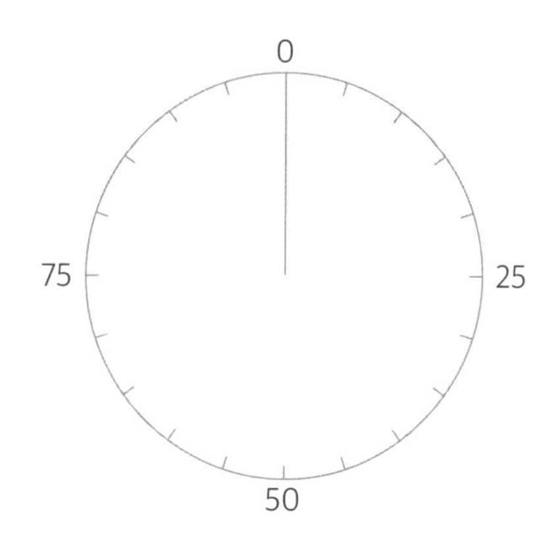

물음에 답하세요.

⑤ 6학년 1반 학생은 28명, 6학년 2반 학생은 24명입니다. 1반 학생 수와 2반 학생 수의 비를 간단한 자연수의 비로 나타내어 보세요.

답 : ______________

⑥ 덕선이는 매실차를 만들기 위해 매실 원액 0.4 L와 물 2.2 L를 섞었습니다. 매실 원액의 양과 물의 양의 비를 간단한 자연수의 비로 나타내어 보세요.

답 : ______________

Memo

하루 10분 서술형/문장제 학습지

F2 비와 그래프

초6

정답

F2

비와 그래프

초6

1주 비와 비율

P 06 ~ 07

1일 비

2 : 1
→ 2와 1의 비
→ 2의 1에 대한 비
→ 1에 대한 2의 비

□안에 알맞은 수를 써넣으세요.

사과 5개, 파인애플 3개

◎ 사과 수와 파인애플 수의 비 ➡ 5 : 3

① 사과 수의 파인애플 수에 대한 비 ➡ 5 : 3

② 파인애플 수에 대한 사과 수의 비 ➡ 5 : 3

빵 4개, 우유 7개

③ 빵 수와 우유 수의 비 ➡ 4 : 7

④ 우유 수의 빵 수에 대한 비 ➡ 7 : 4

⑤ 우유 수에 대한 빵 수의 비 ➡ 4 : 7

물음에 답하세요.

◎ 같은 크기의 컵으로 냄비에 물 7컵과 카레 가루 2컵을 넣어 카레를 만들려고 합니다. 물의 양과 카레 가루의 양의 비를 써 보세요.

답 : 7 : 2

① 빨간색 구슬이 9개, 파란색 구슬이 4개 있습니다. 빨간색 구슬 수와 파란색 구슬 수의 비를 써 보세요.

답 : 9 : 4

② 직사각형의 가로는 6 cm, 세로는 10 cm입니다. 직사각형의 가로의 세로에 대한 비를 써 보세요.

답 : 6 : 10

③ 전체 학생은 20명이고 안경을 쓴 학생이 11명일 때, 안경을 쓴 학생에 대한 안경을 쓰지 않은 학생 수의 비를 써 보세요.

답 : 9 : 11

P 08 ~ 09

2일 비율

(비율)
=(비교하는 양)÷(기준량)
$=\frac{(비교하는 양)}{(기준량)}$

표를 알맞게 완성하세요.

	비	비교하는 양	기준량	비율	
				분수로 나타내기	소수로 나타내기
◎	7 : 5	7	5	$\frac{7}{5}$	1.4
①	3 : 2	3	2	$\frac{3}{2}$	1.5
②	4 : 8	4	8	$\frac{4}{8}(=\frac{1}{2})$	0.5
③	6 : 10	6	10	$\frac{6}{10}(=\frac{3}{5})$	0.6
④	5 : 4	5	4	$\frac{5}{4}$	1.25
⑤	14 : 4	14	4	$\frac{14}{4}(=\frac{7}{2})$	3.5
⑥	11 : 20	11	20	$\frac{11}{20}$	0.55

물음에 답하세요.

◎ 가로가 9 cm, 세로가 6 cm인 직사각형이 있습니다. 이 직사각형의 세로에 대한 가로의 비율을 분수와 소수로 각각 나타내어 보세요.

분수 : $\frac{9}{6}(=\frac{3}{2})$ 소수 : 1.5

① 축구공이 28개, 야구공이 21개 있습니다. 축구공 수에 대한 야구공 수의 비율을 분수와 소수로 각각 나타내어 보세요.

분수 : $\frac{21}{28}(=\frac{3}{4})$ 소수 : 0.75

② 민성이는 흰색 물감 15 mL에 검은색 물감 3 mL를 섞어 회색을 만들었습니다. 흰색 물감 양에 대한 검은색 물감 양의 비율을 분수와 소수로 각각 나타내어 보세요.

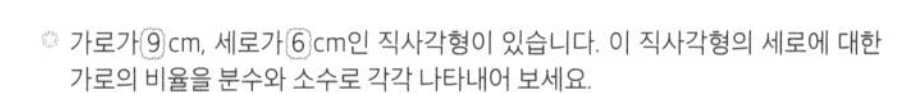

분수 : $\frac{3}{15}(=\frac{1}{5})$ 소수 : 0.2

③ 집에서 학교까지의 거리는 2 km, 집에서 도서관까지의 거리는 5 km입니다. 집에서 학교까지의 거리에 대한 집에서 도서관까지의 거리의 비율을 분수와 소수로 각각 나타내어 보세요.

분수 : $\frac{5}{2}$ 소수 : 2.5

P 10~11

3일 비율의 활용

기준량과 비교하는 양만 잘 구별하면 비율은 쉽게 구할 수 있어.

물음에 답하세요.

◎ 정민이는 물에 유자 원액 100 mL를 넣어 유자차 400 mL를 만들었고, 채은이는 물에 유자 원액 120 mL를 넣어 유자차 500 mL를 만들었습니다. 두 사람의 유자차 양에 대한 유자 원액 양의 비율을 각각 구하고, 누가 만든 유자차가 더 진한지 구해 보세요.

정민 : $\frac{100}{400}\left(=\frac{1}{4}=0.25\right)$ 채은 : $\frac{120}{500}\left(=\frac{6}{25}=0.24\right)$

더 진한 유자차를 만든 사람 : 정민

① 두 반이 야구를 하였습니다. 1반은 30타수 중에서 안타를 9개 쳤고 2반은 25타수 중에서 안타를 10개 쳤습니다. 두 반의 타수에 대한 안타 수의 비율을 각각 구하고, 어느 반의 타율이 더 높은지 구해 보세요. (단, 타수에 대한 안타 수의 비율을 타율이라고 합니다.)

1반 : $\frac{9}{30}\left(=\frac{3}{10}=0.3\right)$ 2반 : $\frac{10}{25}\left(=\frac{2}{5}=0.4\right)$

더 높은 타율인 반 : 2반

② 빨간색 버스는 300 km를 가는 데 4시간이 걸렸고, 파란색 버스는 240 km를 가는 데 3시간이 걸렸습니다. 두 버스의 걸린 시간에 대한 달린 거리의 비율을 각각 구하고, 어느 버스가 더 빠른지 구해 보세요.

빨간색 버스 : $\frac{300}{4}$(=75) 파란색 버스 : $\frac{240}{3}$(=80)

더 빠른 버스 : 파란색 버스

물음에 답하세요.

◎ 두 마을의 넓이에 대한 인구의 비율을 각각 구하고, 두 마을 중 인구가 더 밀집한 곳은 어디인지 구해 보세요.

마을	사랑 마을	즐거운 마을
인구(명)	5000	2100
넓이 (km²)	5	3
넓이에 대한 인구의 비율	1000	700

사랑 마을

① 성민이와 기석이는 텃밭에 오이를 심었습니다. 두 텃밭의 넓이에 대한 오이 수의 비율을 각각 구하고, 두 텃밭 중 더 촘촘하게 심은 곳은 어디인지 구해 보세요.

텃밭	성민이네 텃밭	기석이네 텃밭
오이 수(개)	84	60
넓이 (m²)	12	10
넓이에 대한 오이 수의 비율	7	6

성민이네 텃밭

② 가 자전거와 나 자전거로 달린 거리와 걸린 시간을 나타낸 표입니다. 걸린 시간에 대한 달린 거리의 비율을 각각 구하고, 어느 자전거가 더 빠른지 구해 보세요.

자전거	가	나
달린 거리 (km)	78	64
걸린 시간(시간)	6	4
걸린 시간에 대한 달린 거리의 비율	13	16

나 자전거

10 F2-비와 그래프 1주: 비와 비율 11

P 12~13

4일 백분율

기준량을 100으로 할 때의 비율을 백분율이라고 해. → $\frac{■}{100}$=■%

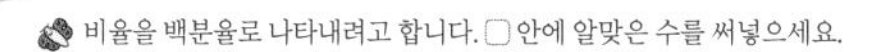

비율을 백분율로 나타내려고 합니다. □ 안에 알맞은 수를 써넣으세요.

◎ $\frac{4}{5}$ → $\frac{4}{5}$× 100 = 80 (%) ◎ 0.3 → 0.3× 100 = 30 (%)

① $\frac{1}{2}$ → $\frac{1}{2}$× 100 = 50 (%) ② $\frac{3}{4}$ → $\frac{3}{4}$× 100 = 75 (%)

③ $\frac{3}{12}$ → $\frac{3}{12}$× 100 = 25 (%) ④ $\frac{13}{25}$ → $\frac{13}{25}$× 100 = 52 (%)

⑤ 0.7 → 0.7× 100 = 70 (%) ⑥ 0.9 → 0.9× 100 = 90 (%)

⑦ 0.36 → 0.36× 100 = 36 (%) ⑧ 0.81 → 0.81× 100 = 81 (%)

물음에 답하세요.

◎ 주머니 속에 빨간색 구슬이 14개, 노란색 구슬이 6개로 모두 20개 들어 있습니다. 전체 구슬 수에 대한 노란색 구슬 수의 비율은 몇 %일까요?

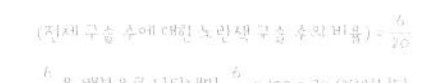

(전체 구슬 수에 대한 노란색 구슬 수의 비율) = $\frac{6}{20}$

$\frac{6}{20}$을 백분율로 나타내면 $\frac{6}{20}$×100=30 (%)입니다.

답 : 30 %

① 땅의 넓이는 40 m²이고, 그중 화단의 넓이는 16 m²입니다. 땅 넓이에 대한 화단 넓이의 비율은 몇 %일까요?

(땅 넓이에 대한 화단 넓이의 비율)= $\frac{16}{40}$

$\frac{16}{40}$ 을 백분율로 나타내면 $\frac{16}{40}$×100=40 (%)입니다.

답 : 40 %

② 아이스크림 가게에 딸기맛 아이스크림이 50개, 민트초코맛 아이스크림이 22개 있습니다. 딸기맛 아이스크림 수에 대한 민트초코맛 아이스크림 수의 비율은 몇 %일까요?

답 : 44 %

(딸기맛 아이스크림 수에 대한 민트초코맛 아이스크림 수의 비율)= $\frac{22}{50}$

$\frac{22}{50}$ 를 백분율로 나타내면 $\frac{22}{50}$×100=44 (%)입니다.

③ 상자 안에 검은색 바둑돌이 64개, 흰색 바둑돌이 36개로 모두 100개 들어 있습니다. 전체 바둑돌 수에 대한 검은색 바둑돌 수의 비율은 몇 %일까요?

(전체 바둑돌 수에 대한 검은색 바둑돌 수의 비율)= $\frac{64}{100}$

$\frac{64}{100}$ 를 백분율로 나타내면 $\frac{64}{100}$×100=64 (%)입니다.

답 : 64 %

12 F2-비와 그래프 1주: 비와 비율 13

P 14 ~ 15

5일 백분율의 활용

(할인율) = $\frac{\text{(할인 금액)}}{\text{(원래 가격)}}$

❀ 물음에 답하세요.

◎ 준우와 현진이는 농구 자유투 연습을 했습니다. 준우와 현진이의 자유투 성공률은 각각 몇 %인지 구하고, 누구의 자유투 성공률이 더 높은지 구해 보세요.

학생	준우	현진
시도 횟수(개)	25	20
성공 횟수(개)	17	14
성공률(%)	68 %	70 %

준우의 성공률 $\frac{17}{25}\times100=68$ (%), 현진이의 성공률 $\frac{14}{20}\times100=70$ (%)　　현진

① 재민이네 학교 6학년 학생들을 대상으로 현장학습을 공원으로 가는 것에 찬성하는 학생 수를 조사하였습니다. 두 반의 찬성률은 각각 몇 %인지 구하고, 찬성률이 높은 반을 구해 보세요.

반	1반	2반
학생 수(명)	30	28
찬성하는 학생 수(명)	24	21
찬성률(%)	80 %	75 %

1반

1반의 찬성률 : $\frac{24}{30}\times100=80$ (%), 2반의 찬성률 : $\frac{21}{28}\times100=75$ (%)

② 숲속초등학교와 하얀초등학교의 학교 대표 선거를 하였습니다. 두 학교의 투표율은 각각 몇 %인지 구하고, 투표율이 더 높은 학교는 어느 학교인지 구해 보세요.

학교	숲속초등학교	하얀초등학교
학생 수(명)	360	400
투표에 참여한 학생 수(명)	270	280
투표율(%)	75 %	70 %

숲속초등학교

숲속초등학교 투표율 : $\frac{270}{360}\times100=75$ (%), 하얀초등학교 투표율 : $\frac{280}{400}\times100=70$ (%)

❀ 물음에 답하세요.

◎ 어느 문구점에서 원래 가격이 5000원인 색연필 세트를 3500원에 할인하여 팔고 있습니다. 색연필 세트의 할인율은 몇 %일까요?

(할인 금액) = 5000 − 3500 = 1500(원)

(할인율) = $\frac{1500}{5000}\times100=30$ (%)

답 : 30 %

① 어느 장난감 가게에서 원래 가격이 2400원인 인형을 할인하여 1800원에 팔고 있습니다. 인형의 할인율은 몇 %일까요?

(할인 금액)=2400−1800=600(원)

(할인율)=$\frac{600}{2400}\times100=25$ (%)

답 : 25 %

② 어느 음식점에서 4000원짜리 음식을 할인받아 3400원에 사서 먹었습니다. 이 음식의 할인율은 몇 %일까요?

(할인 금액)=4000−3400=600(원)

(할인율)=$\frac{600}{4000}\times100=15$ (%)

답 : 15 %

③ 진희는 놀이공원에 갔습니다. 놀이공원 입장료는 12000원인데 진희는 할인권을 이용하여 9600원을 냈습니다. 진희는 몇 %를 할인받았나요?

(할인 금액)=12000−9600=2400(원)

(할인율)=$\frac{2400}{12000}\times100=20$ (%)

답 : 20 %

P 16 ~ 17

확인학습

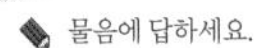

✎ 물음에 답하세요.

① 직사각형의 가로는 5 cm, 세로는 3 cm입니다. 직사각형의 가로의 세로에 대한 비를 써 보세요.

답 : 5 : 3

② 배구공이 8개, 축구공이 5개 있습니다. 전체 공 수에 대한 배구공 수의 비를 써 보세요.

답 : 8 : 13

✎ 물음에 답하세요.

③ 빨간색 페인트 2 L와 파란색 페인트 5 L를 섞었습니다. 빨간색 페인트의 양과 파란색 페인트의 양의 비율을 분수와 소수로 각각 나타내어 보세요.

분수 : $\frac{2}{5}$　　소수 : 0.4

④ 어느 독서 동호회의 남자 회원은 15명, 여자 회원은 12명입니다. 이 동호회의 여자 회원 수에 대한 남자 회원 수의 비율을 분수와 소수로 각각 나타내어 보세요.

분수 : $\frac{15}{12}\left(=\frac{5}{4}\right)$　　소수 : 1.25

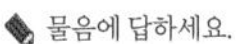

✎ 물음에 답하세요.

⑤ 가 선수와 나 선수가 농구 자유투를 하였습니다. 가 선수는 20번의 시도 중에서 14번 성공하였고, 나 선수는 25번의 시도 중에서 16번 성공하였습니다. 두 선수의 자유투 성공 횟수의 비율을 각각 구하고, 어느 선수의 자유투 성공률이 높은지 구해 보세요.

가 선수 : $\frac{14}{20}\left(=\frac{7}{10}=0.7\right)$　　나 선수 : $\frac{16}{25}$(=0.64)

성공률이 더 높은 선수 : 가

⑥ 고속버스는 400 km를 가는 데 5시간이 걸렸고, 시외버스는 120 km를 가는 데 2시간이 걸렸습니다. 두 버스의 걸린 시간에 대한 달린 거리의 비율을 각각 구하고, 어느 버스가 더 빠른지 구해 보세요.

고속버스 : $\frac{400}{5}$ (=80)　　시외버스 : $\frac{120}{2}$ (=60)

더 빠른 버스 : 고속버스

✎ 물음에 답하세요.

⑦ 주머니 속에 파란색 공이 16개, 초록색 공이 24개로 모두 40개 들어 있습니다. 전체 공 수에 대한 파란색 공 수의 비율은 몇 %일까요?

(전체 공 수에 대한 파란색 공 수의 비율)=$\frac{16}{40}$

$\frac{16}{40}$을 백분율로 나타내면 $\frac{16}{40}\times100=40$ (%)입니다.

답 : 40 %

⑧ 학급 문고에는 위인전이 11권, 과학책이 14권으로 모두 25권이 있습니다. 과학책 수와 전체 책 수의 비율은 몇 %일까요?

(과학책 수와 전체 책 수의 비율)=$\frac{14}{25}$

$\frac{14}{25}$를 백분율로 나타내면 $\frac{14}{25}\times100=56$ (%)입니다.

답 : 56 %

P 18

확인학습

물음에 답하세요.

⑨ 재민이네 학교 6학년 학생들을 대상으로 학급 회의 간식으로 떡볶이를 하는 것에 찬성하는 학생 수를 조사하였습니다. 두 반의 찬성률은 각각 몇 %인지 구하고, 찬성률이 높은 반을 구해 보세요.

반	1반	2반
학생 수(명)	24	20
찬성하는 학생 수(명)	18	14
찬성률(%)	75 %	70 %

1반

1반의 찬성률 : $\frac{18}{24}\times100=75$ (%), 2반의 찬성률 : $\frac{14}{20}\times100=70$ (%)

다음 물음에 답하세요.

⑩ 어느 인형 가게에서 원래 가격이 10000원인 곰 인형을 할인하여 9000원에 팔고 있습니다. 인형의 할인율은 몇 %일까요?

(할인 금액)=10000−9000=1000(원)

(할인율)= $\frac{1000}{10000}\times100=10$ (%)

답 : 10 %

⑪ 어느 할인 마트에서 34000원짜리 선풍기를 할인하여 22100원에 팔고 있습니다. 선풍기의 할인율은 몇 %일까요?

(할인 금액)=34000−22100=11900(원)

(할인율)= $\frac{11900}{34000}\times100=35$ (%)

답 : 35 %

18 F2-비와 그래프

P 20 ~ 21

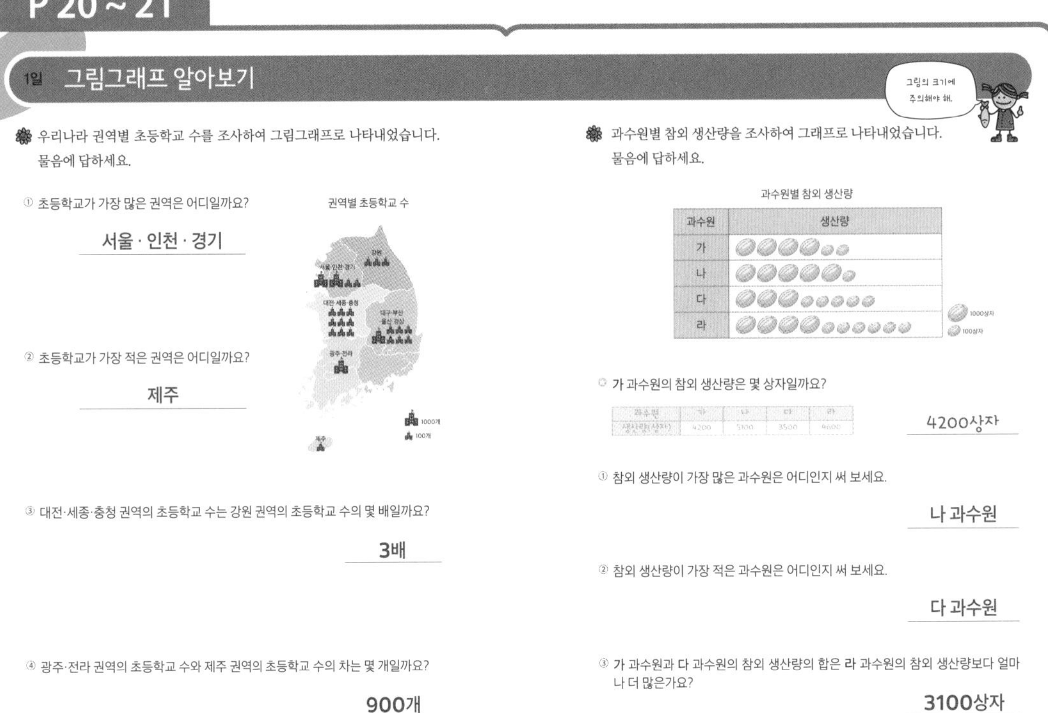

1일 그림그래프 알아보기

❀ 우리나라 권역별 초등학교 수를 조사하여 그림그래프로 나타내었습니다. 물음에 답하세요.

① 초등학교가 가장 많은 권역은 어디일까요?

서울 · 인천 · 경기

② 초등학교가 가장 적은 권역은 어디일까요?

제주

③ 대전·세종·충청 권역의 초등학교 수는 강원 권역의 초등학교 수의 몇 배일까요?

3배

④ 광주·전라 권역의 초등학교 수와 제주 권역의 초등학교 수의 차는 몇 개일까요?

900개

❀ 과수원별 참외 생산량을 조사하여 그래프로 나타내었습니다. 물음에 답하세요.

○ 가 과수원의 참외 생산량은 몇 상자일까요?

과수원	가	나	다	라
생산량(상자)	4200	5100	3500	4600

4200상자

① 참외 생산량이 가장 많은 과수원은 어디인지 써 보세요.

나 과수원

② 참외 생산량이 가장 적은 과수원은 어디인지 써 보세요.

다 과수원

③ 가 과수원과 다 과수원의 참외 생산량의 합은 라 과수원의 참외 생산량보다 얼마나 더 많은가요?

3100상자

20 F2-비와 그래프   2주: 여러 가지 그래프(1) 21

P 22 ~ 23

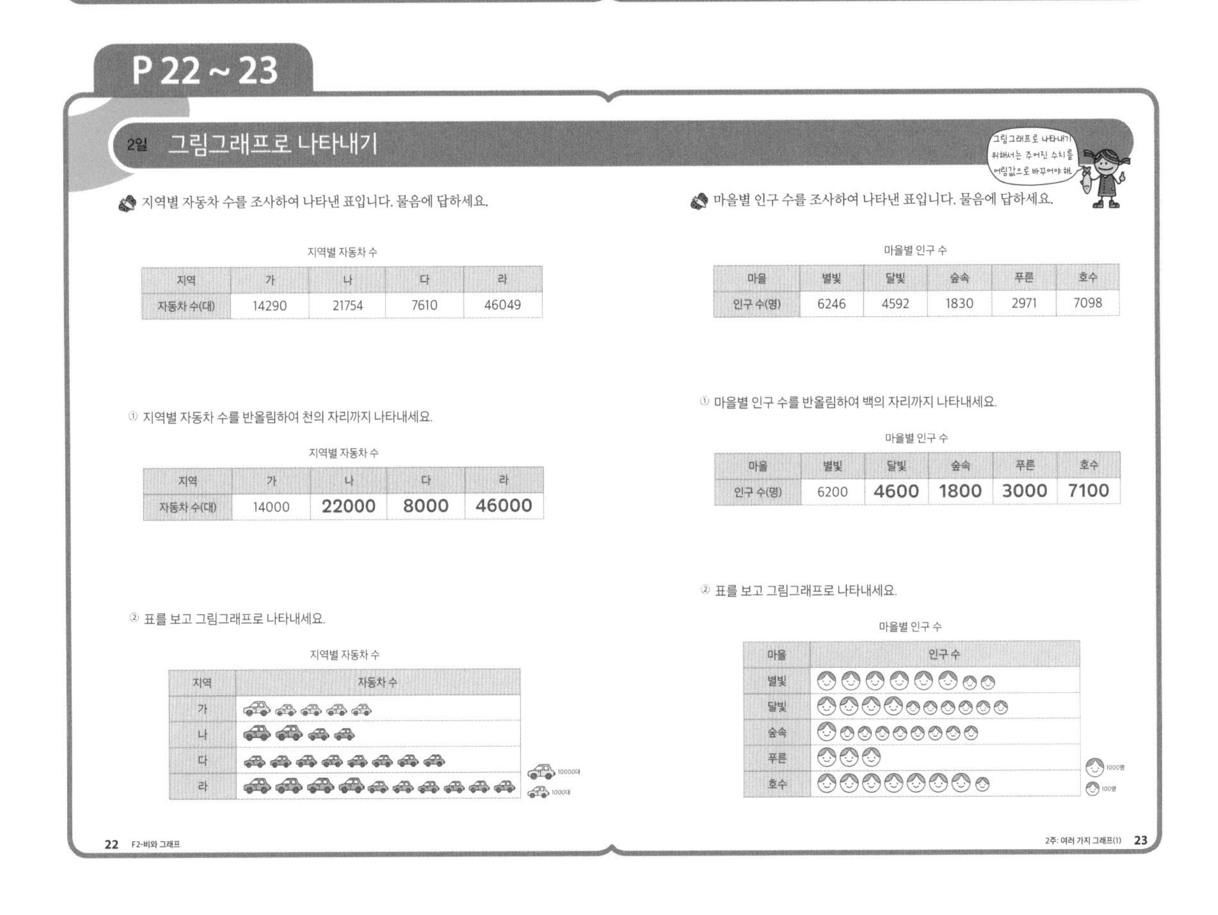

2일 그림그래프로 나타내기

지역별 자동차 수를 조사하여 나타낸 표입니다. 물음에 답하세요.

지역별 자동차 수

지역	가	나	다	라
자동차 수(대)	14290	21754	7610	46049

① 지역별 자동차 수를 반올림하여 천의 자리까지 나타내세요.

지역별 자동차 수

지역	가	나	다	라
자동차 수(대)	14000	22000	8000	46000

② 표를 보고 그림그래프로 나타내세요.

마을별 인구 수를 조사하여 나타낸 표입니다. 물음에 답하세요.

마을별 인구 수

마을	별빛	달빛	숲속	푸른	호수
인구 수(명)	6246	4592	1830	2971	7098

① 마을별 인구 수를 반올림하여 백의 자리까지 나타내세요.

마을별 인구 수

마을	별빛	달빛	숲속	푸른	호수
인구 수(명)	6200	4600	1800	3000	7100

② 표를 보고 그림그래프로 나타내세요.

22 F2-비와 그래프   2주: 여러 가지 그래프(1) 23

P 24 ~ 25

3일 띠그래프 알아보기

비율을 띠 모양에 나타낸 그래프를 띠그래프라고 해.

물음에 답하세요.

○ 다음은 준호네 학교 학생 120명이 좋아하는 과일을 조사하여 나타낸 띠그래프입니다. 사과를 좋아하는 학생은 몇 명일까요?

좋아하는 과일별 학생 수

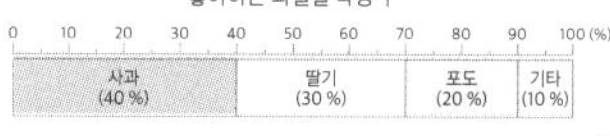

답 : 48명

① 다음은 민수가 일주일에 쓴 용돈 14000원의 쓰임새를 나타낸 띠그래프입니다. 저금에 사용한 금액은 얼마일까요?

용돈의 쓰임새별 금액

0 10 20 30 40 50 60 70 80 90 100 (%)

군것질 (35 %) | 저금 (30 %) | 학용품 (25 %) | 기타 (10 %)

(저금에 사용한 금액)$=14000\times\frac{30}{100}=4200$(원)

답 : 4200원

② 다음은 혜진이네 학교 6학년 학생 180명이 좋아하는 전통 놀이를 조사하여 나타낸 띠그래프입니다. 제기차기를 좋아하는 학생은 몇 명일까요?

좋아하는 놀이별 학생 수

0 10 20 30 40 50 60 70 80 90 100 (%)

제기차기 (45 %) | 연날리기 (30 %) | 윷놀이 (15 %) | 기타 (10 %)

(제기차기를 좋아하는 학생 수)$=180\times\frac{45}{100}=81$(명)

답 : 81명

물음에 답하세요.

○ 정민이네 학교 학생 200명이 생일 때 받고 싶은 선물을 조사하여 나타낸 띠그래프입니다. 스마트폰을 받고 싶은 학생 수는 기프트카드를 받고 싶은 학생 수보다 얼마나 더 많을까요?

받고 싶은 선물별 학생 수

0 10 20 30 40 50 60 70 80 90 100 (%)

스마트폰 (40 %) | 기프트카드 (25 %) | 옷 (20 %) | 기타 (15 %)

답 : 30명

① 민우네 학교 학생 240명이 좋아하는 운동을 조사하여 나타낸 띠그래프입니다. 축구를 좋아하는 학생 수는 야구를 좋아하는 학생 수보다 얼마나 더 많을까요?

좋아하는 운동별 학생 수

0 10 20 30 40 50 60 70 80 90 100 (%)

축구 (35 %) | 농구 (30 %) | 야구 (25 %) | 기타 (10 %)

(축구)$=240\times\frac{35}{100}=84$(명), (야구)$=240\times\frac{25}{100}=60$(명)
→ $84-60=24$(명)

답 : 24명

② 효주네 반 학급 문고의 종류별 권수를 조사하여 나타낸 띠그래프입니다. 전체 책의 수가 300권일 때 가장 많이 있는 책의 수와 가장 적게 있는 책의 수의 차를 구해 보세요.

학급 문고의 종류별 권수

0 10 20 30 40 50 60 70 80 90 100 (%)

위인전 (35 %) | 과학책 (30 %) | 학습만화 (20 %) | 동화 (15 %)

(위인전)$=300\times\frac{35}{100}=105$(권), (동화책)$=300\times\frac{15}{100}=45$(권)
→ $105-45=60$(권)

답 : 60권

P 26 ~ 27

4일 띠그래프로 나타내기

백분율의 합계가 100%가 되는지 꼭 확인해.

물음에 답하세요.

○ 광일이네 학교 6학년 학생이 좋아하는 간식을 조사하여 나타낸 표입니다. 표를 완성한 후 띠그래프로 나타내어 보세요.

좋아하는 간식별 학생 수

간식	치킨	피자	떡볶이	햄버거	합계
학생 수(명)	56	48	32	24	160
백분율(%)	35	30	20	15	100

좋아하는 과일별 학생 수

0 10 20 30 40 50 60 70 80 90 100 (%)

치킨 (35 %) | 피자 (30 %) | 떡볶이 (20 %) | 햄버거 (15 %)

① 민정이네 학교 6학년 학생이 여행 가고 싶은 나라를 조사하여 나타낸 표입니다. 표를 완성한 후 띠그래프로 나타내어 보세요.

여행 가고 싶은 나라별 학생 수

나라	미국	프랑스	호주	태국	합계
학생 수(명)	48	30	24	18	120
백분율(%)	40	25	20	15	100

여행 가고 싶은 나라별 학생 수

0 10 20 30 40 50 60 70 80 90 100 (%)

미국 (40 %) | 프랑스 (25 %) | 호주 (20 %) | 태국 (15 %)

(미국)$=\frac{48}{120}\times100=40$ (%), (프랑스)$=\frac{30}{120}\times100=25$ (%)

(호주)$=\frac{24}{120}\times100=20$ (%), (태국)$=\frac{18}{120}\times100=15$ (%)

② 태연이네 농장에서 키우고 있는 동물 수를 조사하여 나타낸 표입니다. 표를 완성한 후 띠그래프로 나타내어 보세요.

종류별 동물 수

동물	돼지	소	닭	양	합계
동물 수(마리)	60	45	30	15	150
백분율(%)	40	30	20	10	100

종류별 동물 수

0 10 20 30 40 50 60 70 80 90 100 (%)

돼지 (40 %) | 소 (30 %) | 닭 (20 %) | 양 (10%)

(돼지)$=\frac{60}{150}\times100=40$ (%), (소)$=\frac{45}{150}\times100=30$ (%)

(닭)$=\frac{30}{150}\times100=20$ (%), (양)$=\frac{15}{150}\times100=10$ (%)

③ 종민이네 학교에서 일주일 동안 배출한 재활용품 양을 조사하여 나타낸 표입니다. 표를 완성한 후 띠그래프로 나타내어 보세요.

재활용품의 종류별 배출량

종류	종이류	플라스틱류	병류	캔류	비닐류	합계
배출량(kg)	80	30	24	18	10	200
백분율(%)	40	25	20	10	5	100

재활용품의 종류별 배출량

0 10 20 30 40 50 60 70 80 90 100 (%)

종이류 (40 %) | 플라스틱류 (25 %) | 병류 (20 %) | 캔류 (10%) | 비닐류 (5 %)

(종이류)$=\frac{80}{200}\times100=40$ (%), (플라스틱류)$=\frac{50}{200}\times100=25$ (%)

(병류)$=\frac{40}{200}\times100=20$ (%), (캔류)$=\frac{20}{200}\times100=10$ (%), (비닐류)$=\frac{10}{200}\times100=5$ (%)

P 28 ~ 29

5일 띠그래프 해석하기

은정이네 학교 학생들의 혈액형을 조사하여 나타낸 띠그래프입니다. 물음에 답하세요.

혈액형별 학생 수

0 10 20 30 40 50 60 70 80 90 100 (%)

A형 (45 %)	B형 (25 %)	O형 (20 %)	AB형 (10 %)

① 학생 수가 가장 적은 혈액형은 무엇일까요?

답 : AB형

② O형인 학생 수는 AB형인 학생 수의 몇 배일까요?

20÷10=2(배)

답 : 2배

③ B형인 학생이 30명일 때 AB형인 학생은 몇 명일까요?

B형인 학생은 AB형인 학생의 2.5배입니다. B형인 학생이 30명이므로 AB형인 학생은 12명입니다.

답 : 12명

④ 전체 학생 수는 몇 명일까요?

전체 학생은 AB형인 학생의 10배입니다. AB형인 학생이 12명이므로 전체 학생은 120명입니다.

답 : 120명

민주네 학교 6학년 학생들이 좋아하는 과목을 조사하여 나타낸 띠그래프입니다. 물음에 답하세요.

좋아하는 과목별 학생 수

0 10 20 30 40 50 60 70 80 90 100 (%)

음악 (30 %)	체육	수학 (20 %)	과학 (10 %)	기타 (20 %)

① 체육을 좋아하는 학생은 전체의 몇 %일까요?

100-(30+20+10+20)=20 (%)

답 : 20 %

② 가장 많은 학생들이 좋아하는 과목은 무엇일까요?

답 : 음악

③ 수학을 좋아하는 학생 수는 과학을 좋아하는 학생 수의 몇 배일까요?

20÷10=2(배)

답 : 2배

④ 과학을 좋아하는 학생이 4명일 때 음악을 좋아하는 학생은 몇 명일까요?

음악을 좋아하는 학생은 과학을 좋아하는 학생의 3배입니다. 과학을 좋아하는 학생이 4명이므로 음악을 좋아하는 학생은 12명입니다.

답 : 12명

P 30 ~ 31

확인학습

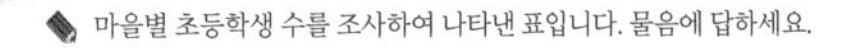

마을별 초등학생 수를 조사하여 나타낸 표입니다. 물음에 답하세요.

마을별 초등학생 수

마을	가	나	다	라
초등학생 수(명)	52321	24908	43412	80525

① 마을별 초등학생 수를 반올림하여 천의 자리까지 나타내세요.

마을별 초등학생 수

마을	가	나	다	라
초등학생 수(명)	52000	25000	43000	81000

② 표를 보고 그림그래프로 나타내세요.

마을별 초등학생 수

마을	초등학생 수
가	
나	
다	
라	

10000명
1000명

③ 초등학생 수가 가장 많은 마을은 어느 마을인지 써 보세요.

라 마을

물음에 답하세요.

④ 민호네 학교 6학년 학생이 좋아하는 동물을 조사하여 나타낸 표입니다. 표를 완성한 후 띠그래프로 나타내어 보세요.

좋아하는 동물별 학생 수

동물	개	고양이	햄스터	토끼	합계
학생 수(명)	28	24	16	12	80
백분율(%)	35	30	20	15	100

좋아하는 동물별 학생 수

0 10 20 30 40 50 60 70 80 90 100 (%)

개 (35 %)	고양이 (30 %)	햄스터 (20 %)	토끼 (15 %)

(개)$=\frac{28}{80}\times100=35$ (%), (고양이)$=\frac{24}{80}\times100=30$ (%)

(햄스터)$=\frac{16}{80}\times100=20$ (%), (토끼)$=\frac{12}{80}\times100=15$ (%)

⑤ 종우네 학교 6학년 학생이 좋아하는 운동을 조사하여 나타낸 표입니다. 표를 완성한 후 띠그래프로 나타내어 보세요.

좋아하는 운동별 학생 수

운동	축구	배구	야구	농구	합계
학생 수(명)	20	15	10	5	50
백분율(%)	40	30	20	10	100

좋아하는 운동별 학생 수

0 10 20 30 40 50 60 70 80 90 100 (%)

축구 (40 %)	배구 (30 %)	야구 (20 %)	농구 (10%)

(축구)$=\frac{20}{50}\times100=40$ (%), (배구)$=\frac{15}{50}\times100=30$ (%)

(야구)$=\frac{10}{50}\times100=20$ (%), (농구)$=\frac{5}{50}\times100=10$ (%)

P 32

확인학습

어느 공원에 심어져 있는 나무의 종류를 조사하여 나타낸 띠그래프입니다. 물음에 답하세요.

종류별 나무 수

0 10 20 30 40 50 60 70 80 90 100 (%)

단풍나무 (40 %)	은행나무	소나무 (20 %)	기타 (10 %)

⑥ 은행나무 수는 전체의 몇 %일까요?

100-(40+20+10)=30 (%)

답 : 30 %

⑦ 가장 많이 심어져 있는 나무는 무엇일까요?

답 : 단풍나무

⑧ 단풍나무 수는 소나무 수의 몇 배일까요?

40÷20=2(배)

답 : 2배

⑨ 소나무 수가 84그루라면 전체 나무 수는 몇 그루일까요?

전체 나무 수는 소나무 수의 5배입니다.
소나무 수는 84그루이므로 전체 나무 수는 420그루입니다.

답 : 420그루

32 F2-비와 그래프

P 34 ~ 35

1일 원그래프 알아보기

비율을 원 모양에 나타낸 그래프를 원그래프라고 해.

물음에 답하세요.

◎ 다음은 제동이네 학교 학생 160명의 장래 희망을 조사하여 나타낸 원그래프입니다. 장래 희망이 의사인 학생은 몇 명일까요?

장래 희망별 학생 수

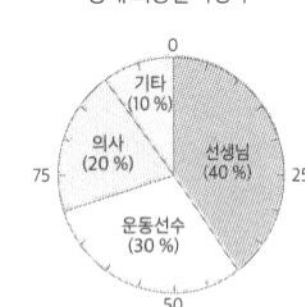

(장래 희망이 의사인 학생 수)$=160\times\frac{20}{100}=32$(명)

답 : 32명

① 다음은 찬원이네 학교 6학년 학생 120명이 좋아하는 계절을 조사하여 나타낸 원그래프입니다. 가을을 좋아하는 학생은 몇 명일까요?

좋아하는 계절별 학생 수

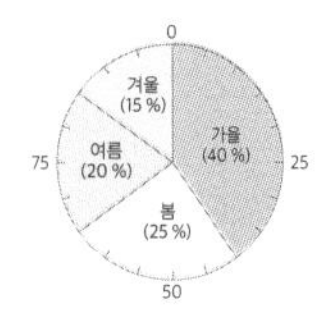

(가을을 좋아하는 학생 수)$=120\times\frac{40}{100}=48$(명)

답 : 48명

② 다음은 민주네 과수원에서 수확한 과일을 조사하여 나타낸 원그래프입니다. 수확한 전체 과일이 모두 600개일 때 사과는 귤보다 몇 개 더 많이 수확했을까요?

과일별 수확량

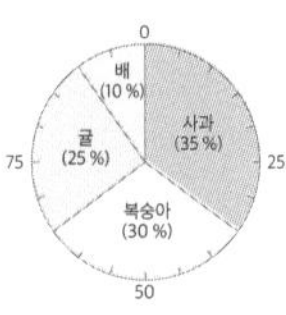

(사과)$=600\times\frac{35}{100}=210$(개), (귤)$=600\times\frac{25}{100}=150$(개)
$210-150=60$(개)

답 : 60개

③ 다음은 정국이네 학교 학생 80명이 키우고 싶은 반려동물을 조사하여 나타낸 원그래프입니다. 고양이를 키우고 싶어하는 학생 수와 앵무새를 키우고 싶어하는 학생 수의 차를 구하세요.

키우고 싶은 반려동물별 학생 수

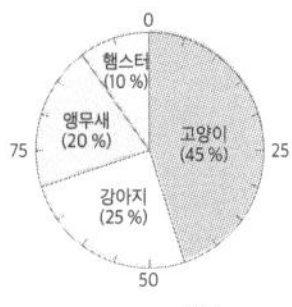

(고양이)$=80\times\frac{45}{100}=36$(명), (앵무새)$=80\times\frac{20}{100}=16$(명)
$36-16=20$(명)

답 : 20명

34 F2-비와 그래프 / 3주: 여러 가지 그래프(2) 35

P 36 ~ 37

2일 원그래프로 나타내기

백분율의 합계가 100%가 되는지 꼭 확인해.

물음에 답하세요.

① 어느 여행 동호회 회원들이 가고 싶은 도시를 조사하여 나타낸 표입니다. 표를 완성한 후 원그래프로 나타내어 보세요.

가고 싶은 도시별 회원 수

도시	회원 수(명)	백분율(%)
부산	70	35
전주	50	25
공주	40	20
춘천	40	20
합계	200	100

가고 싶은 도시별 회원 수

0, 25, 50, 75 / 부산 (35 %), 전주 (25 %), 공주 (20 %), 춘천 (20 %)

(부산)$=\frac{70}{200}\times100=35$ (%), (전주)$=\frac{50}{200}\times100=25$ (%)
(공주)$=\frac{40}{200}\times100=20$ (%), (춘천)$=\frac{40}{200}\times100=20$ (%)

② 현정이네 학교 학생들의 취미를 조사하여 나타낸 표입니다. 표를 완성한 후 원그래프로 나타내어 보세요.

취미별 학생 수

취미	학생 수(명)	백분율(%)
게임	120	40
독서	105	35
음악 감상	30	10
기타	45	15
합계	300	100

취미별 학생 수

0, 25, 50, 75 / 게임 (40 %), 독서 (35 %), 음악감상 (10 %), 기타 (15 %)

(게임)$=\frac{120}{300}\times100=40$ (%), (독서)$=\frac{105}{300}\times100=35$ (%)
(음악 감상)$=\frac{30}{300}\times100=10$ (%), (기타)$=\frac{45}{300}\times100=15$ (%)

③ 정호네 학교 학생들이 배우고 있는 악기를 조사하여 나타낸 표입니다. 표를 완성한 후 원그래프로 나타내어 보세요.

배우고 있는 악기별 학생 수

취미	회원 수(명)	백분율(%)
피아노	63	35
바이올린	54	30
기타	36	20
드럼	18	10
베이스	9	5
합계	180	100

배우고 있는 악기별 학생 수

0, 25, 50, 75 / 피아노 (35 %), 바이올린 (30 %), 기타 (30 %), 드럼 (10 %), 베이스 (5 %)

(피아노)$=\frac{63}{180}\times100=35$ (%), (바이올린)$=\frac{54}{180}\times100=30$ (%), (기타)$=\frac{36}{180}\times100=20$ (%),
(드럼)$=\frac{18}{180}\times100=10$ (%), (베이스)$=\frac{9}{180}\times100=5$ (%)

④ 태연이네 학교 학생들이 좋아하는 색깔을 조사하여 나타낸 표입니다. 표를 완성한 후 원그래프로 나타내어 보세요.

좋아하는 색깔별 학생 수

색깔	학생 수(명)	백분율(%)
빨간색	36	30
초록색	30	25
파란색	24	20
분홍색	18	15
노란색	12	10
합계	120	100

좋아하는 색깔별 학생 수

0, 25, 50, 75 / 빨간색 (30 %), 초록색 (25 %), 파란색 (20 %), 분홍색 (15 %), 노란색 (10 %)

(빨간색)$=\frac{36}{120}\times100=30$ (%), (초록색)$=\frac{30}{120}\times100=25$ (%), (파란색)$=\frac{24}{120}\times100=20$ (%),
(분홍색)$=\frac{18}{120}\times100=15$ (%), (노란색)$=\frac{12}{120}\times100=10$ (%)

36 F2-비와 그래프 / 3주: 여러 가지 그래프(2) 37

P 38 ~ 39

3일 원그래프 해석하기

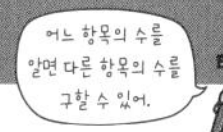

어느 식품에 들어 있는 영양소를 조사하여 나타낸 원그래프입니다. 물음에 답하세요.

식품의 영양소

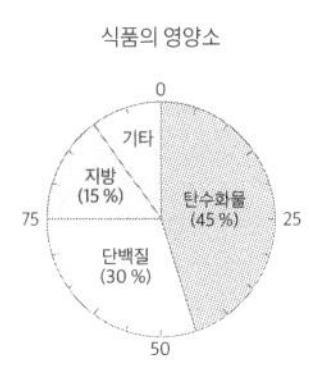

① 어느 영양소의 비율이 가장 높은가요?

답 : 탄수화물

② 기타에 해당되는 영양소의 양은 전체의 몇 %일까요?

100-(45+30+15)=10 (%)

답 : 10 %

③ 탄수화물의 양은 지방의 양의 몇 배일까요?

45÷15=3(배)

답 : 3배

④ 단백질의 양이 150 g이라면 지방의 양은 몇 g일까요?

단백질의 양은 지방의 양의 2배입니다. 단백질의 양이 150 g이므로 지방의 양은 75 g입니다.

답 : 75 g

지희네 학교 6학년 학생들이 좋아하는 과목을 조사하여 나타낸 원그래프입니다. 물음에 답하세요.

좋아하는 과목별 학생 수

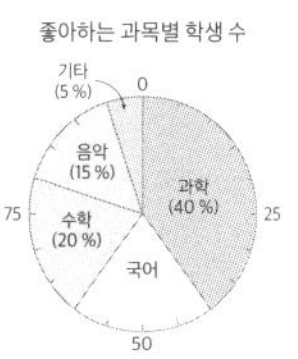

① 국어를 좋아하는 학생은 전체의 몇 %일까요?

100-(40+20+15+5)=20 (%)

답 : 20 %

② 학생들이 가장 좋아하는 과목은 무엇인가요?

답 : 과학

③ 과학을 좋아하는 학생은 수학을 좋아하는 학생의 몇 배일까요?

40÷20=2(배)

답 : 2배

④ 기타에 속하는 학생이 10명일 때, 음악을 좋아하는 학생은 몇 명일까요?

음악을 좋아하는 학생 수는 기타에 속하는 학생 수의 3배입니다. 기타에 속하는 학생이 10명이므로 음악을 좋아하는 학생은 30명입니다.

답 : 30명

P 40 ~ 41

4일 두 그래프 해석하기

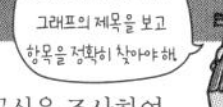

어느 동물원의 동물을 2012년과 2022년에 종류별로 조사하여 나타낸 띠그래프입니다. 물음에 답하세요.

종류별 동물 수

2012년	원숭이 (34 %)	토끼	얼룩말 (27 %)	기타 (8 %)
2022년	원숭이 (37 %)	토끼	얼룩말 (25 %)	기타 (6 %)

① 2012년과 2022년의 전체 동물 수에 대한 토끼 수의 백분율을 각각 구해 보세요.

2012년 : 31 % 2022년 : 32 %

2012년 : 100-(34+27+8)=31 (%)
2022년 : 100-(37+25+6)=32 (%)

② 2012년에 비해 2022년에 차지하는 비율이 늘어난 동물을 모두 써 보세요.

원숭이, 토끼

③ 전체 동물 수에 대한 비율의 변화가 가장 적은 동물은 어느 것일까요?

토끼

④ 2022년에 이 동물원의 동물은 모두 120마리입니다. 2022년에 얼룩말은 몇 마리일까요?

$120\times\frac{25}{100}=30$(마리)

30마리

다음은 어느 지역의 2017년과 2022년에 생산된 곡식을 조사하여 각각 나타낸 원그래프입니다. 물음에 답하세요.

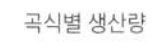

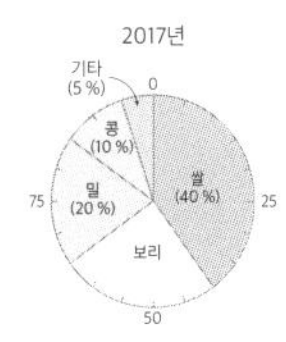

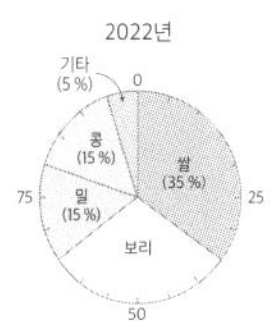

① 2017년과 2022년의 전체 곡식에 대한 보리의 백분율을 각각 구해 보세요.

2017년 : 25 % 2022년 : 30 %

2017년 : 100-(40+20+10+5)=25 (%)
2022년 : 100-(35+15+15+5)=30 (%)

② 2017년에 비해 2022년에 차지하는 비율이 줄어든 곡식을 모두 써 보세요.

밀, 쌀

③ 콩 생산량의 비율은 2017년에 비해 2022년에 몇 배 늘었는지 기약분수로 나타내세요.

$\frac{15}{10}=\frac{3}{2}=1\frac{1}{2}$(배)

$\frac{3}{2}\left(=1\frac{1}{2}\right)$ 배

④ 2022년에 생산된 곡식은 500 t입니다. 2022년의 쌀의 생산량은 몇 t일까요?

$500\times\frac{35}{100}=175$(t)

175 t

P 42 ~ 43

5일 여러 가지 그래프

띠그래프와 원그래프는 전체에 대한 각 부분의 비율을 알아보기 쉬워.

희진이네 학교 학생들이 스마트폰으로 가장 많이 사용하는 기능을 조사하여 나타낸 그림그래프입니다. 물음에 답하세요.

가장 많이 사용하는 기능별 사용하는 학생 수

게임 / SNS / 검색 / 전화 (100명, 10명)

① 표로 나타내세요.

가장 많이 사용하는 기능별 학생 수

기능	게임	SNS	검색	전화	합계
학생 수(명)	600	450	300	150	1500
백분율(%)	40	30	20	10	100

② 막대그래프로 나타내어 보세요.

가장 많이 사용하는 기능별 학생 수

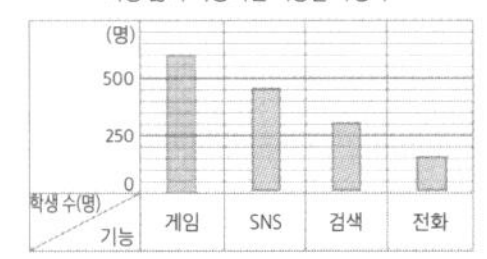

③ 띠그래프로 나타내어 보세요.

가장 많이 사용하는 기능별 학생 수

0 10 20 30 40 50 60 70 80 90 100 (%)

게임 (40 %) | SNS (30 %) | 검색 (20 %) | 전화 (10%)

④ 원그래프로 나타내어 보세요.

가장 많이 사용하는 기능별 학생 수

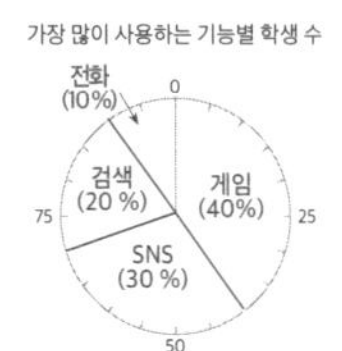

⑤ 가장 많이 사용하는 기능별 학생 수의 비율을 비교하려고 합니다. 어느 그래프로 나타내면 좋을까요? 그 이유를 써 보세요.

답 : 예) 원그래프

풀이 : 예) 전체 학생 수에 대한 스마트폰 기능별 사용하는 학생 수의 비율을 비교하기 쉽기 때문입니다.

이외에도 여러 가지 정답이 있을 수 있습니다.

42 F2-비와 그래프 / 3주: 여러 가지 그래프(2) 43

P 44 ~ 45

확인학습

물음에 답하세요.

① 다음은 윤철이네 학교 학생 120명이 가고 싶어하는 현장학습 장소를 조사하여 나타낸 원그래프입니다. 놀이 공원에 가고 싶어하는 학생은 몇 명일까요?

가고 싶은 현장학습 장소별 학생 수

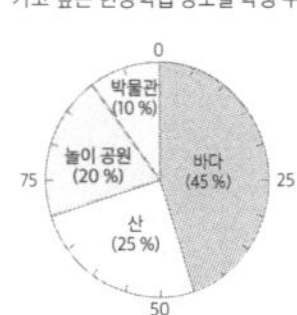

(놀이 공원에 가고 싶어하는 학생 수)$=120\times\frac{20}{100}=24$(명)　답 : **24명**

물음에 답하세요.

② 구헌이네 학교 학생들이 좋아하는 영화 장르를 조사하여 나타낸 표입니다. 표를 완성한 후 원그래프로 나타내어 보세요.

좋아하는 영화 장르별 학생 수

영화 장르	학생 수(명)	백분율(%)
판타지	72	40
액션	45	25
공포	36	20
드라마	27	15
합계	180	100

좋아하는 영화 장르별 학생 수

0 / 드라마 (15 %) / 판타지 (40 %) / 공포 (20 %) / 액션 (25 %) / 75 / 25 / 50

(판타지)$=\frac{72}{180}\times100=40$ (%), (액션)$=\frac{45}{180}\times100=25$ (%)

(공포)$=\frac{36}{180}\times100=20$ (%), (드라마)$=\frac{27}{180}\times100=15$ (%)

효민이네 집에 있는 가축을 종류별로 조사하여 나타낸 원그래프입니다. 물음에 답하세요.

종류별 가축 수

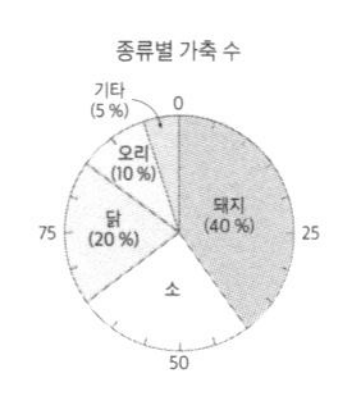

③ 소는 전체의 몇 %일까요?

$100-(40+20+10+5)=25$ (%)　답 : **25 %**

④ 가장 많은 가축은 무엇인가요?

답 : **돼지**

⑤ 돼지의 수는 오리의 수의 몇 배일까요?

$40\div10=4$(배)　답 : **4배**

⑥ 닭이 30마리일 때, 돼지는 몇 마리일까요?

돼지의 수는 닭의 수의 2배입니다.
닭이 30마리이므로 돼지는 60마리입니다.　답 : **60마리**

44 F2-비와 그래프 / 3주: 여러 가지 그래프(2) 45

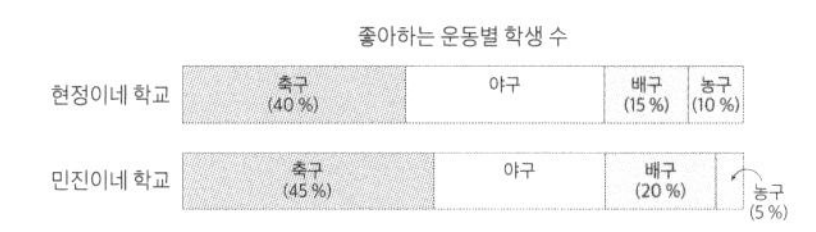

현정이네 학교 학생과 민진이네 학교 학생이 좋아하는 운동을 조사하여 나타낸 띠그래프입니다. 물음에 답하세요.

좋아하는 운동별 학생 수

	축구	야구	배구	농구
현정이네 학교	축구 (40 %)	야구	배구 (15 %)	농구 (10 %)
민진이네 학교	축구 (45 %)	야구	배구 (20 %)	농구 (5 %)

⑦ 현정이네 학교와 민진이네 학교 전체 학생 수에 대한 야구를 좋아하는 학생 수의 백분율을 각각 구해 보세요.

현정이네 학교 : **35 %** 민진이네 학교 : **30 %**

현정이네 학교 : 100−(40+15+10)=35 (%)
민진이네 학교 : 100−(45+20+5)=30 (%)

⑧ 민진이네 학교 학생 중 야구를 좋아하는 학생은 농구를 좋아하는 학생의 몇 배일까요?
30÷5=6(배)

6배

⑨ 현정이네 학교 학생은 340명, 민진이네 학교 학생은 300명일 때 배구를 좋아하는 학생 수가 더 많은 학교는 어디이고, 몇 명 더 많은지 구해 보세요.

민진이네 학교, 9명

(현정이네 학교의 배구를 좋아하는 학생 수)=$340\times\frac{15}{100}=51$(명)
(민진이네 학교의 배구를 좋아하는 학생 수)=$300\times\frac{20}{100}=60$(명)
60−51=9(명)

46 F2-비와 그래프

비례식과 비례배분

P 48 ~ 49

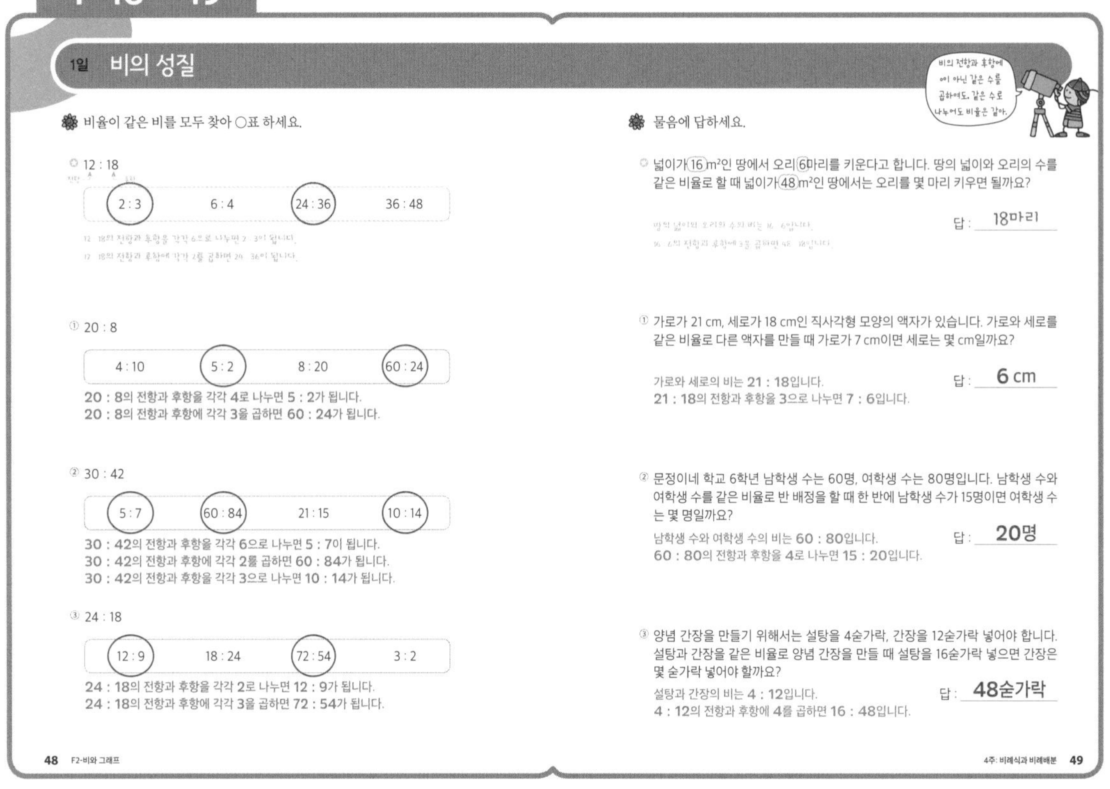

1일 비의 성질

❀ 비율이 같은 비를 모두 찾아 ○표 하세요.

◎ 12 : 18

(2 : 3) 6 : 4 (24 : 36) 36 : 48

12 : 18의 전항과 후항을 각각 6으로 나누면 2 : 3이 됩니다.
12 : 18의 전항과 후항에 각각 2를 곱하면 24 : 36이 됩니다.

① 20 : 8

4 : 10 (5 : 2) 8 : 20 (60 : 24)

20 : 8의 전항과 후항을 각각 4로 나누면 5 : 2가 됩니다.
20 : 8의 전항과 후항에 각각 3을 곱하면 60 : 24가 됩니다.

② 30 : 42

(5 : 7) (60 : 84) 21 : 15 (10 : 14)

30 : 42의 전항과 후항을 각각 6으로 나누면 5 : 7이 됩니다.
30 : 42의 전항과 후항에 각각 2를 곱하면 60 : 84가 됩니다.
30 : 42의 전항과 후항을 각각 3으로 나누면 10 : 14가 됩니다.

③ 24 : 18

(12 : 9) 18 : 24 (72 : 54) 3 : 2

24 : 18의 전항과 후항을 각각 2로 나누면 12 : 9가 됩니다.
24 : 18의 전항과 후항에 각각 3을 곱하면 72 : 54가 됩니다.

❀ 물음에 답하세요.

◎ 넓이가 16 m²인 땅에서 오리 6마리를 키운다고 합니다. 땅의 넓이와 오리의 수를 같은 비율로 할 때 넓이가 48 m²인 땅에서는 오리를 몇 마리 키우면 될까요?

땅의 넓이와 오리의 수의 비는 16 : 6입니다.
16 : 6의 전항과 후항에 3을 곱하면 48 : 18입니다.

답 : 18마리

① 가로가 21 cm, 세로가 18 cm인 직사각형 모양의 액자가 있습니다. 가로와 세로를 같은 비율로 다른 액자를 만들 때 가로가 7 cm이면 세로는 몇 cm일까요?

가로와 세로의 비는 21 : 18입니다.
21 : 18의 전항과 후항을 3으로 나누면 7 : 6입니다.

답 : 6 cm

② 문정이네 학교 6학년 남학생 수는 60명, 여학생 수는 80명입니다. 남학생 수와 여학생 수를 같은 비율로 반 배정을 할 때 한 반에 남학생 수가 15명이면 여학생 수는 몇 명일까요?

남학생 수와 여학생 수의 비는 60 : 80입니다.
60 : 80의 전항과 후항을 4로 나누면 15 : 20입니다.

답 : 20명

③ 양념 간장을 만들기 위해서는 설탕을 4숟가락, 간장을 12숟가락 넣어야 합니다. 설탕과 간장을 같은 비율로 양념 간장을 만들 때 설탕을 16숟가락 넣으면 간장은 몇 숟가락 넣어야 할까요?

설탕과 간장의 비는 4 : 12입니다.
4 : 12의 전항과 후항에 4를 곱하면 16 : 48입니다.

답 : 48숟가락

48 F2-비와 그래프 / 4주: 비례식과 비례배분 49

P 50 ~ 51

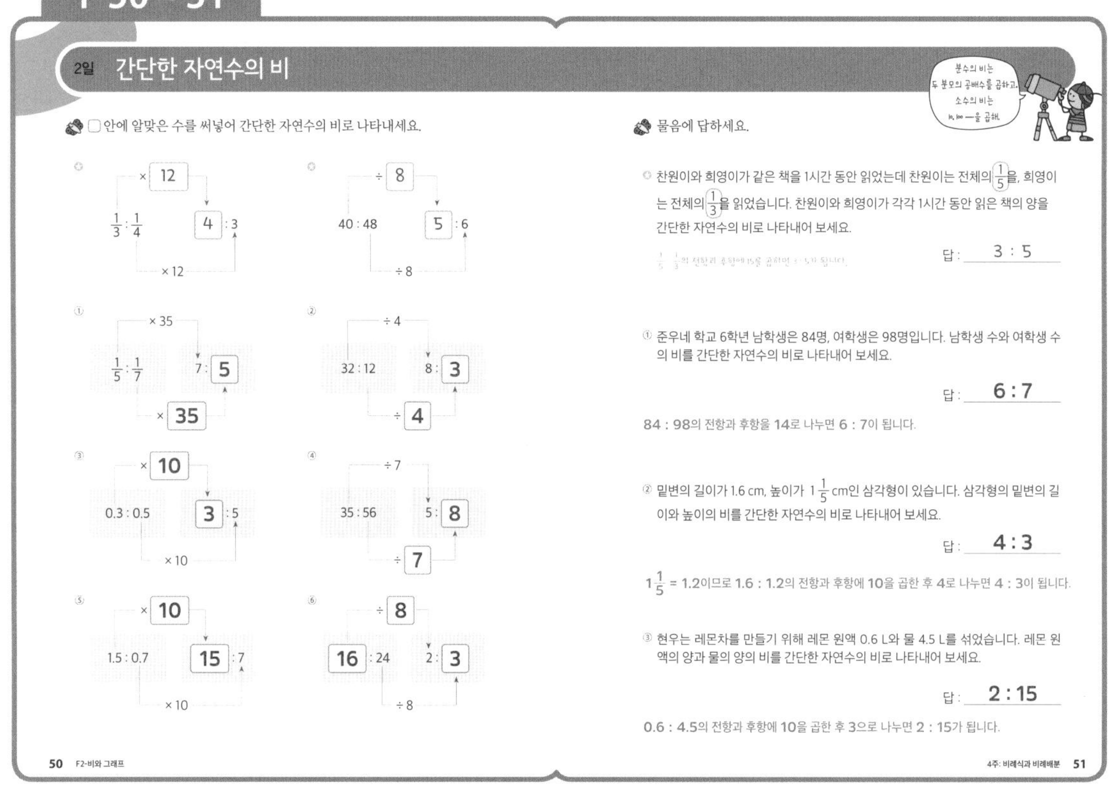

2일 간단한 자연수의 비

□ 안에 알맞은 수를 써넣어 간단한 자연수의 비로 나타내세요.

◎ $\frac{1}{3} : \frac{1}{4}$ → (× 12) → 4 : 3

◎ 40 : 48 → (÷ 8) → 5 : 6

① $\frac{1}{5} : \frac{1}{7}$ → (× 35) → 7 : 5

② 32 : 12 → (÷ 4) → 8 : 3

③ 0.3 : 0.5 → (× 10) → 3 : 5

④ 35 : 56 → (÷ 7) → 5 : 8

⑤ 1.5 : 0.7 → (× 10) → 15 : 7

⑥ 16 : 24 → (÷ 8) → 2 : 3

물음에 답하세요.

◎ 찬원이와 희영이가 같은 책을 1시간 동안 읽었는데 찬원이는 전체의 $\frac{1}{5}$을, 희영이는 전체의 $\frac{1}{3}$을 읽었습니다. 찬원이와 희영이가 각각 1시간 동안 읽은 책의 양을 간단한 자연수의 비로 나타내어 보세요.

$\frac{1}{5} : \frac{1}{3}$의 전항과 후항에 15를 곱하면 3 : 5가 됩니다.

답 : 3 : 5

① 준우네 학교 6학년 남학생은 84명, 여학생은 98명입니다. 남학생 수와 여학생 수의 비를 간단한 자연수의 비로 나타내어 보세요.

답 : 6 : 7

84 : 98의 전항과 후항을 14로 나누면 6 : 7이 됩니다.

② 밑변의 길이가 1.6 cm, 높이가 $1\frac{1}{5}$ cm인 삼각형이 있습니다. 삼각형의 밑변의 길이와 높이의 비를 간단한 자연수의 비로 나타내어 보세요.

답 : 4 : 3

$1\frac{1}{5}$ = 1.2이므로 1.6 : 1.2의 전항과 후항에 10을 곱한 후 4로 나누면 4 : 3이 됩니다.

③ 현우는 레몬차를 만들기 위해 레몬 원액 0.6 L와 물 4.5 L를 섞었습니다. 레몬 원액의 양과 물의 양의 비를 간단한 자연수의 비로 나타내어 보세요.

답 : 2 : 15

0.6 : 4.5의 전항과 후항에 10을 곱한 후 3으로 나누면 2 : 15가 됩니다.

50 F2-비와 그래프 / 4주: 비례식과 비례배분 51

P 52 ~ 53

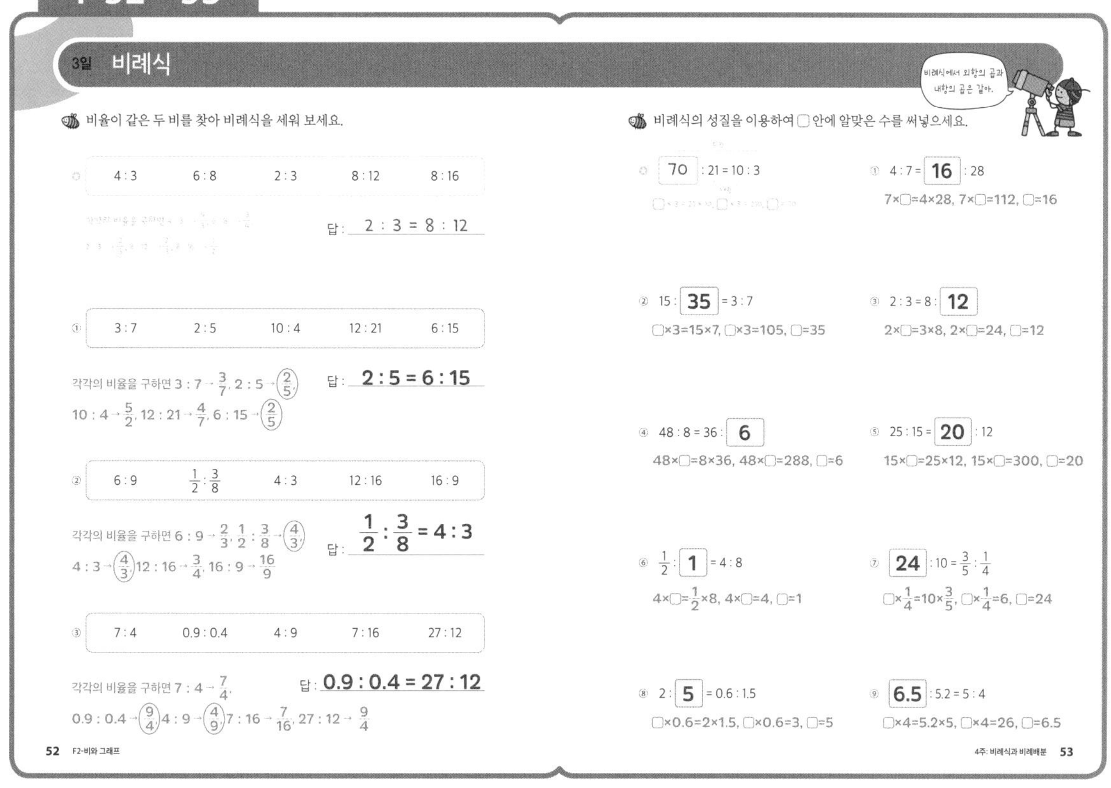

3일 비례식

비례식에서 외항의 곱과 내항의 곱은 같아.

비율이 같은 두 비를 찾아 비례식을 세워 보세요.

4 : 3	6 : 8	2 : 3	8 : 12	8 : 16

답: 2 : 3 = 8 : 12

①

3 : 7	2 : 5	10 : 4	12 : 21	6 : 15

각각의 비율을 구하면 3 : 7 → $\frac{3}{7}$, 2 : 5 → $\frac{2}{5}$, 10 : 4 → $\frac{5}{2}$, 12 : 21 → $\frac{4}{7}$, 6 : 15 → $\frac{2}{5}$

답: **2 : 5 = 6 : 15**

②

6 : 9	$\frac{1}{2}$: $\frac{3}{8}$	4 : 3	12 : 16	16 : 9

각각의 비율을 구하면 6 : 9 → $\frac{2}{3}$, $\frac{1}{2}$: $\frac{3}{8}$ → $\frac{4}{3}$, 4 : 3 → $\frac{4}{3}$, 12 : 16 → $\frac{3}{4}$, 16 : 9 → $\frac{16}{9}$

답: **$\frac{1}{2}$: $\frac{3}{8}$ = 4 : 3**

③

7 : 4	0.9 : 0.4	4 : 9	7 : 16	27 : 12

각각의 비율을 구하면 7 : 4 → $\frac{7}{4}$, 0.9 : 0.4 → $\frac{9}{4}$, 4 : 9 → $\frac{4}{9}$, 7 : 16 → $\frac{7}{16}$, 27 : 12 → $\frac{9}{4}$

답: **0.9 : 0.4 = 27 : 12**

비례식의 성질을 이용하여 □ 안에 알맞은 수를 써넣으세요.

70 : 21 = 10 : 3

① 4 : 7 = **16** : 28
7×□=4×28, 7×□=112, □=16

② 15 : **35** = 3 : 7
□×3=15×7, □×3=105, □=35

③ 2 : 3 = 8 : **12**
2×□=3×8, 2×□=24, □=12

④ 48 : 8 = 36 : **6**
48×□=8×36, 48×□=288, □=6

⑤ 25 : 15 = **20** : 12
15×□=25×12, 15×□=300, □=20

⑥ $\frac{1}{2}$: **1** = 4 : 8
4×□=$\frac{1}{2}$×8, 4×□=4, □=1

⑦ **24** : 10 = $\frac{3}{5}$: $\frac{1}{4}$
□×$\frac{1}{4}$=10×$\frac{3}{5}$, □×$\frac{1}{4}$=6, □=24

⑧ 2 : **5** = 0.6 : 1.5
□×0.6=2×1.5, □×0.6=3, □=5

⑨ **6.5** : 5.2 = 5 : 4
□×4=5.2×5, □×4=26, □=6.5

52 F2-비와 그래프 4주: 비례식과 비례배분 53

P 54 ~ 55

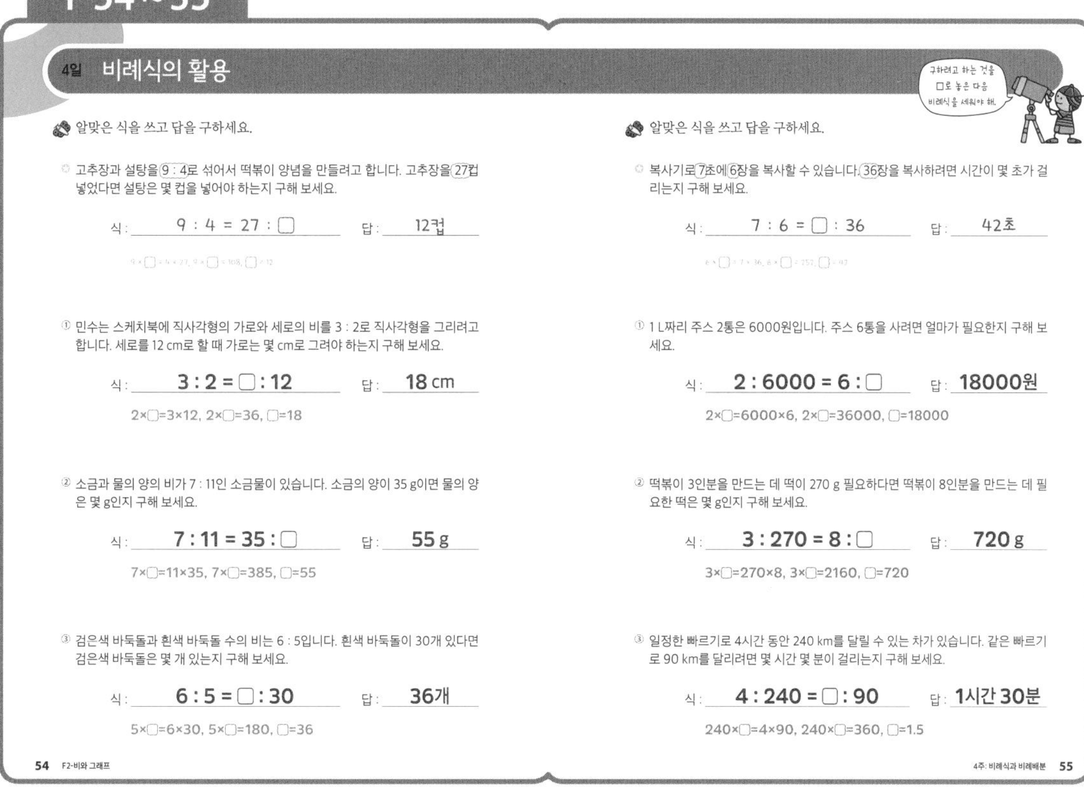

4일 비례식의 활용

구하려고 하는 것을 □로 놓은 다음 비례식을 세워야 해.

알맞은 식을 쓰고 답을 구하세요.

고추장과 설탕을 9 : 4로 섞어서 떡볶이 양념을 만들려고 합니다. 고추장을 27컵 넣었다면 설탕은 몇 컵을 넣어야 하는지 구해 보세요.

식: 9 : 4 = 27 : □ 답: 12컵

① 민수는 스케치북에 직사각형의 가로와 세로의 비를 3 : 2로 직사각형을 그리려고 합니다. 세로를 12 cm로 할 때 가로는 몇 cm로 그려야 하는지 구해 보세요.

식: **3 : 2 = □ : 12** 답: **18 cm**

2×□=3×12, 2×□=36, □=18

② 소금과 물의 양의 비가 7 : 11인 소금물이 있습니다. 소금의 양이 35 g이면 물의 양은 몇 g인지 구해 보세요.

식: **7 : 11 = 35 : □** 답: **55 g**

7×□=11×35, 7×□=385, □=55

③ 검은색 바둑돌과 흰색 바둑돌 수의 비는 6 : 5입니다. 흰색 바둑돌이 30개 있다면 검은색 바둑돌은 몇 개 있는지 구해 보세요.

식: **6 : 5 = □ : 30** 답: **36개**

5×□=6×30, 5×□=180, □=36

알맞은 식을 쓰고 답을 구하세요.

복사기로 7초에 6장을 복사할 수 있습니다. 36장을 복사하려면 시간이 몇 초가 걸리는지 구해 보세요.

식: 7 : 6 = □ : 36 답: 42초

① 1 L짜리 주스 2통은 6000원입니다. 주스 6통을 사려면 얼마가 필요한지 구해 보세요.

식: **2 : 6000 = 6 : □** 답: **18000원**

2×□=6000×6, 2×□=36000, □=18000

② 떡볶이 3인분을 만드는 데 떡이 270 g 필요하다면 떡볶이 8인분을 만드는 데 필요한 떡은 몇 g인지 구해 보세요.

식: **3 : 270 = 8 : □** 답: **720 g**

3×□=270×8, 3×□=2160, □=720

③ 일정한 빠르기로 4시간 동안 240 km를 달릴 수 있는 차가 있습니다. 같은 빠르기로 90 km를 달리려면 몇 시간 몇 분이 걸리는지 구해 보세요.

식: **4 : 240 = □ : 90** 답: **1시간 30분**

240×□=4×90, 240×□=360, □=1.5

54 F2-비와 그래프 4주: 비례식과 비례배분 55

4주 비례식과 비례배분

P 56 ~ 57

5일 비례배분

❀ ○ 안의 수를 주어진 비로 비례배분하려고 합니다. □ 안에 알맞은 수를 써넣으세요.

◎ (24) ➡ 3 : 5

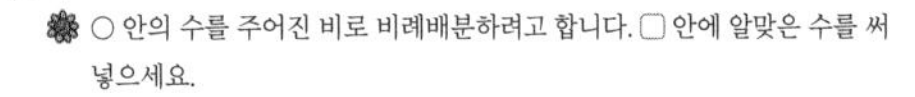

$24\times\frac{3}{3+5}=24\times\frac{3}{8}=9$, $24\times\frac{5}{3+5}=24\times\frac{5}{8}=15$

① (45) ➡ 7 : 2

$45\times\frac{7}{7+2}=45\times\frac{7}{9}=35$, $45\times\frac{2}{7+2}=45\times\frac{2}{9}=10$

② (84) ➡ 3 : 4

$84\times\frac{3}{3+4}=84\times\frac{3}{7}=36$, $84\times\frac{4}{3+4}=84\times\frac{4}{7}=48$

③ (60) ➡ 8 : 7

$60\times\frac{8}{8+7}=60\times\frac{8}{15}=32$, $60\times\frac{7}{8+7}=60\times\frac{7}{15}=28$

❀ 알맞은 식을 쓰고 답을 구하세요.

◎ 미주네 학교 전체 학생은 540명이고 남학생 수와 여학생 수의 비는 4 : 5입니다. 여학생은 몇 명인지 구해 보세요.

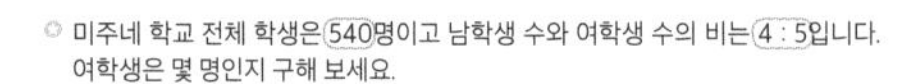

식: $540\times\frac{5}{4+5}=300$ 답: 300명

① 어느 날 낮과 밤의 길이의 비가 5 : 3이라면 밤은 몇 시간인지 구해 보세요.

식: $24\times\frac{3}{5+3}=9$ 답: 9시간

② 성민이와 동생이 용돈 12000원을 7 : 5로 나누어 가지려고 합니다. 성민이는 얼마를 가지게 되는지 구해 보세요.

식: $12000\times\frac{7}{7+5}=7000$ 답: 7000원

③ 가로와 세로의 비가 3 : 8이고 둘레가 66 cm인 직사각형이 있습니다. 이 직사각형의 가로를 구해 보세요.

식: $33\times\frac{3}{3+8}=9$ 답: 9 cm

P 58 ~ 59

확인학습

✎ 물음에 답하세요.

① 넓이가 12 m^2인 땅에서 닭 3마리를 키운다고 합니다. 땅의 넓이와 닭의 수를 같은 비율로 할 때 넓이가 60 m^2인 땅에서는 닭을 몇 마리 키우면 될까요?

땅의 넓이와 닭의 수의 비는 12 : 3입니다.
12 : 3의 전항과 후항에 5를 곱하면 60 : 15입니다. 답: 15마리

② 정화네 학교 6학년 남학생 수는 80명, 여학생 수는 100명입니다. 남학생 수와 여학생 수를 같은 비율로 반 배정을 할 때 한 반에 여학생 수가 10명이면 남학생 수는 몇 명일까요?

남학생 수와 여학생 수의 비는 80 : 100입니다.
80 : 100의 전항과 후항을 10으로 나누면 8 : 10입니다. 답: 8명

✎ 물음에 답하세요.

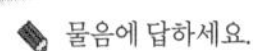

③ 지우와 학승이가 같은 일을 1시간 동안 하였는데 지우는 전체의 $\frac{1}{4}$을, 학승이는 전체의 $\frac{1}{7}$을 했습니다. 지우와 학승이가 각각 1시간 동안 한 일의 양을 간단한 자연수의 비로 나타내어 보세요.

$\frac{1}{4}:\frac{1}{7}$의 전항과 후항에 28을 곱하면 7 : 4가 됩니다. 답: 7 : 4

④ 밑변의 길이가 2.4 cm, 높이가 $1\frac{3}{5}$ cm인 평행사변형이 있습니다. 평행사변형의 밑변의 길이와 높이의 비를 간단한 자연수의 비로 나타내어 보세요.

답: 3 : 2

$1\frac{3}{5}$ = 1.6이므로 2.4 : 1.6의 전항과 후항에 10을 곱한 후 8로 나누면 3 : 2가 됩니다.

✎ 알맞은 식을 쓰고 답을 구하세요.

⑤ 초록색 구슬과 노란색 구슬 수의 비는 4 : 7입니다. 초록색 구슬이 24개 있다면 노란색 구슬은 몇 개 있는지 구해 보세요.

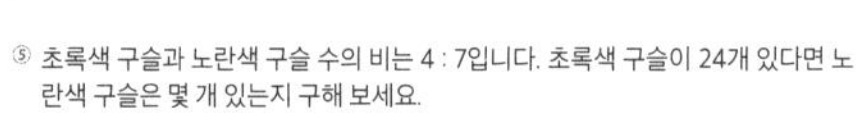

식: 4 : 7 = 24 : □ 답: 42개

4×□=7×24, 4×□=168, □=42

⑥ 가로와 세로의 비가 5 : 3인 직사각형이 있습니다. 세로가 15 cm일 때 가로는 몇 cm인지 구해 보세요.

식: 5 : 3 = □ : 15 답: 25 cm

3×□=5×15, 3×□=75, □=25

⑦ 4초에 9장을 출력할 수 있는 프린터가 있습니다. 54장을 출력하는 데 몇 초가 걸리는지 구해 보세요.

식: 4 : 9 = □ : 54 답: 24초

9×□=4×54, 9×□=216, □=24

⑧ 국수 4인분을 만드는 데 소면이 840 g 필요하다면 국수 10인분을 만드는 데 필요한 소면은 몇 g인지 구해 보세요.

식: 4 : 840 = 10 : □ 답: 2100 g

4×□=840×10, 4×□=8400, □=2100

P 60

확인학습

알맞은 식을 쓰고 답을 구하세요.

⑨ 은주네 학교 전체 학생은 520명이고 남학생 수와 여학생 수의 비는 6 : 7입니다. 여학생은 몇 명인지 구해 보세요.

식 : $520\times\frac{7}{6+7}=280$　　답 : 280명

⑩ 나무 280그루를 공원과 거리에 3 : 4로 나누어 심었습니다. 거리에 심은 나무는 몇 그루인지 구해 보세요.

식 : $280\times\frac{4}{3+4}=160$　　답 : 160그루

⑪ 귤 150개를 은지와 영수가 3 : 7로 나누어 가지려고 합니다. 은지는 몇 개를 가지게 되는지 구해 보세요.

식 : $150\times\frac{3}{3+7}=45$　　답 : 45개

⑫ 가로와 세로의 비가 5 : 9이고 둘레가 140 cm인 직사각형이 있습니다. 이 직사각형의 세로를 구해 보세요.

식 : $70\times\frac{9}{5+9}=45$　　답 : 45 cm

60 F2-비와 그래프

진단평가

P 62 ~ 63

1회차 진단평가

월 일	
제한 시간	15분
맞은 개수	/ 6개

✎ 물음에 답하세요.

① 주머니 속에 검은색 바둑돌이 6개, 흰색 바둑돌이 11개 있습니다. 검은색 바둑돌 수와 흰색 바둑돌 수의 비를 써 보세요.

답 : 6 : 11

② 전체 학생은 16명이고, 동생이 있는 학생은 7명일 때 전체 학생에 대한 동생이 있는 학생 수의 비를 써 보세요.

답 : 7 : 16

✎ 물음에 답하세요.

③ 우성이네 학교 6학년 학생이 체육 시간에 가장 하고 싶어하는 활동을 조사하여 나타낸 표입니다. 표를 완성한 후 띠그래프로 나타내어 보세요.

활동별 학생 수

활동	축구	피구	발야구	줄넘기	합계
학생 수(명)	56	49	21	14	140
백분율(%)	40	35	15	10	100

활동별 학생 수

축구 (40 %)	피구 (35 %)	발야구 (15 %)	줄넘기 (10 %)

(축구)=$\frac{56}{140}$×100=40 (%), (피구)=$\frac{49}{140}$×100=35 (%)

(발야구)=$\frac{21}{140}$×100=15 (%), (줄넘기)=$\frac{14}{140}$×100=10 (%)

✎ 물음에 답하세요.

④ 다음은 어느 채소 가게에서 하루 동안 판매한 채소를 조사하여 나타낸 원그래프입니다. 판매한 전체 채소가 모두 400개일 때 오이는 당근보다 몇 개 더 많이 팔렸을까요?

채소별 판매량

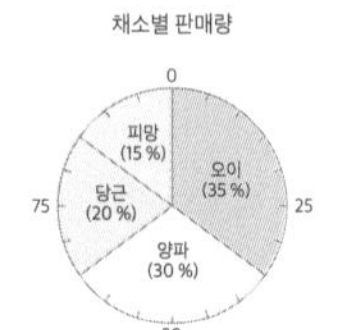

(오이)=400×$\frac{35}{100}$=140(개), (당근)=400×$\frac{20}{100}$=80(개), 140−80=60(개)

답 : 60개

✎ 알맞은 식을 쓰고 답을 구하세요.

⑤ 소금과 물의 양의 비가 6 : 5인 소금물이 있습니다. 소금의 양이 72 g이면 물의 양은 몇 g인지 구해 보세요.

식 : 6 : 5 = 72 : □ 답 : 60 g

6×□=5×72, 6×□=360, □=60

⑥ 우유 3통은 7500원입니다. 7통을 사려면 얼마가 필요한지 구해 보세요.

식 : 3 : 7500 = 7 : □ 답 : 17500원

3×□=7500×7, 3×□=52500, □=17500

P 64 ~ 65

2회차 진단평가

월 일	
제한 시간	15분
맞은 개수	/ 7개

✎ 물음에 답하세요.

① 밑변의 길이가 16 cm, 높이가 28 cm인 삼각형이 있습니다. 이 삼각형의 밑변의 길이에 대한 높이의 비율을 분수와 소수로 각각 나타내어 보세요.

분수 : $\frac{28}{16}\left(=\frac{7}{4}\right)$ 소수 : 1.75

② 동전을 20번 던졌더니 그림 면이 12번 나왔습니다. 동전을 던진 횟수에 대한 그림 면이 나온 횟수의 비율을 분수와 소수로 각각 나타내어 보세요.

분수 : $\frac{12}{20}\left(=\frac{3}{5}\right)$ 소수 : 0.6

✎ 효민이네 학교 학생들이 배우고 있는 악기를 조사하여 나타낸 띠그래프입니다. 물음에 답하세요.

악기별 학생 수

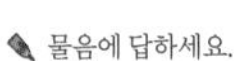

③ 첼로를 배우고 있는 학생은 전체의 몇 %일까요?

100−(30+25+20+10)=15 (%)

답 : 15%

④ 베이스를 배우고 있는 학생이 14명일 때 피아노를 배우고 있는 학생은 몇 명일까요?

피아노를 배우고 있는 학생은 베이스를 배우고 있는 학생의 3배입니다. 베이스를 배우고 있는 학생이 14명이므로 피아노를 배우고 있는 학생은 42명입니다.

답 : 42명

✎ 물음에 답하세요.

⑤ 은비네 학교 학생들의 혈액형을 조사하여 나타낸 표입니다. 표를 완성한 후 원그래프로 나타내어 보세요.

혈액형별 학생 수

장래 희망	학생 수(명)	백분율(%)
A형	91	35
B형	78	30
O형	65	25
AB형	26	10
합계	260	100

혈액형별 학생 수

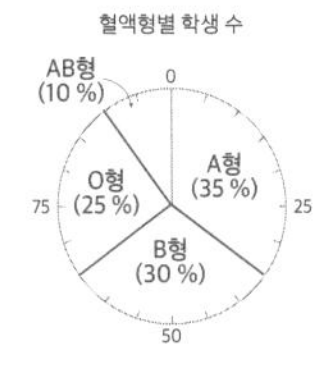

(A형)=$\frac{91}{260}$×100=35 (%), (B형)=$\frac{78}{260}$×100=30 (%)

(O형)=$\frac{65}{260}$×100=25 (%), (AB형)=$\frac{26}{260}$×100=10 (%)

✎ 물음에 답하세요.

⑥ 가로가 27 cm, 세로가 36 cm인 직사각형 모양의 수첩이 있습니다. 가로와 세로를 같은 비율로 다른 수첩을 만들 때 가로가 3 cm이면 세로는 몇 cm일까요?

가로와 세로의 비는 27 : 36입니다.
27 : 36의 전항과 후항을 9로 나누면 3 : 4입니다.

답 : 4 cm

⑦ 빵을 만들기 위해서는 밀가루를 7숟가락, 설탕을 6숟가락 넣어야 합니다. 밀가루와 설탕을 같은 비율로 빵을 만들 때 설탕을 30숟가락 넣으면 밀가루는 몇 숟가락 넣어야 할까요?

밀가루와 설탕의 비는 7 : 6입니다.
7 : 6의 전항과 후항에 5를 곱하면 35 : 30입니다.

답 : 35숟가락

P 66 ~ 67

3회차 진단평가

월	일
제한 시간	15분
맞은 개수	/7개

✎ 물음에 답하세요.

① 다음은 어느 두 도시의 넓이와 인구를 조사한 표입니다. 두 도시의 넓이에 대한 인구의 비율을 각각 구하고, 두 마을 중 인구가 더 밀집한 곳은 어디인지 구해 보세요.

도시	가	나
인구(명)	500000	700000
넓이 (km^2)	80	140
넓이에 대한 인구의 비율	6250	5000

가 도시

✎ 물음에 답하세요.

② 다음은 미주네 반 학급 문고에 있는 책 120권의 종류를 조사하여 나타낸 띠그래프입니다. 동화책은 몇 권일까요?

종류별 책 수

동화책 (45 %)	위인전 (30 %)	과학책 (15 %)	기타 (10 %)

(동화책 수)$=120\times\frac{45}{100}=54$(권)

답 : 54권

③ 다음은 찬원이네 학교 학생 200명이 좋아하는 꽃을 조사하여 나타낸 띠그래프입니다. 코스모스를 선택한 학생은 몇 명일까요?

좋아하는 꽃별 학생 수

코스모스 (35 %)	장미 (30 %)	튤립 (20 %)	개나리 (15 %)

(코스모스를 좋아하는 학생 수)$=200\times\frac{35}{100}=70$(명)

답 : 70명

✎ 다음은 어느 과일 가게의 1월과 2월에 판매된 과일을 조사하여 각각 나타낸 원그래프입니다. 물음에 답하세요.

1월의 과일 판매량

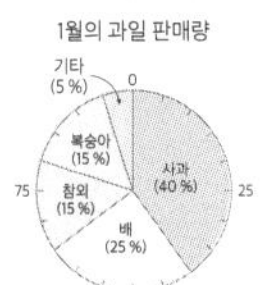

2월의 과일 판매량

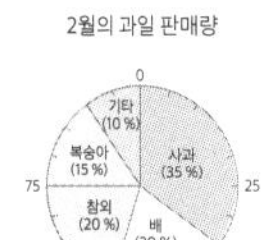

④ 1월에 비해 2월에 차지하는 비율이 줄어든 과일을 모두 써 보세요.

사과, 배

⑤ 참외 판매량의 비율은 1월에 비해 2월에 몇 배 늘었는지 기약분수로 나타내세요.

$\frac{20}{15}=\frac{4}{3}=1\frac{1}{3}$(배)

$\frac{4}{3}\left(=1\frac{1}{3}\right)$배

✎ 알맞은 식을 쓰고, 답을 구하세요.

⑥ 민수와 현진이가 35000원을 4 : 3으로 나누어 가지려고 합니다. 현진이는 얼마를 가지게 되는지 구해 보세요.

식 : $35000\times\frac{3}{4+3}=15000$

답 : 15000원

⑦ 어느 날 낮과 밤의 길이의 비가 5 : 7이라면 밤은 몇 시간인지 구해 보세요.

식 : $24\times\frac{7}{5+7}=14$

답 : 14시간

P 68 ~ 69

4회차 진단평가

월	일
제한 시간	15분
맞은 개수	/7개

✎ 물음에 답하세요.

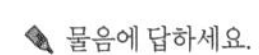

① 꽃밭의 넓이는 60 m^2이고, 그중 장미가 심어져 있는 곳의 넓이는 21 m^2입니다. 꽃밭 넓이에 대한 장미가 심어져 있는 곳의 비율은 몇 %일까요?

(꽃밭 넓이에 대한 장미가 심어져 있는 곳의 비율)$=\frac{21}{60}$

$\frac{21}{60}$을 백분율로 나타내면 $\frac{21}{60}\times100=35$ (%)

답 : 35 %

② 상자 안에 파란색 공깃돌이 30개, 노란색 공깃돌이 12개 들어 있습니다. 노란색 공깃돌 수와 파란색 공깃돌 수의 비율은 몇 %일까요?

(노란색 공깃돌 수와 파란색 공깃돌 수의 비율)$=\frac{12}{30}$

$\frac{12}{30}$를 백분율로 나타내면 $\frac{12}{30}\times100=40$ (%)

답 : 40 %

③ 마을별 당근 생산량을 조사하여 그래프로 나타내었습니다. 당근 생산량이 가장 많은 마을과 가장 적은 마을은 각각 어디인지 써 보세요.

마을별 당근 생산량

마을	생산량
가	
나	
다	
라	

1000개, 100개

마을	가	나	다	라
생산량(상자)	4300	3600	2800	5100

가장 많은 마을 : 라 마을

가장 적은 마을 : 다 마을

✎ 성민이네 학교 6학년 학생들이 좋아하는 계절을 조사하여 나타낸 원그래프입니다. 물음에 답하세요.

좋아하는 계절별 학생 수

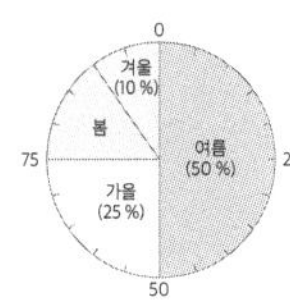

④ 봄을 좋아하는 학생은 전체의 몇 %일까요?

$100-(50+25+10)=15$ (%)

답 : 15 %

⑤ 여름을 좋아하는 학생은 겨울을 좋아하는 학생의 몇 배일까요?

$50\div10=5$(배)

답 : 5배

⑥ 가을을 좋아하는 학생이 35명일 때, 여름을 좋아하는 학생은 몇 명일까요?

여름을 좋아하는 학생 수는 가을을 좋아하는 학생 수의 2배입니다. 가을을 좋아하는 학생이 35명이므로 여름을 좋아하는 학생 수는 70명입니다.

답 : 70명

✎ 알맞은 식 쓰고 답을 구하세요.

⑦ 일정한 빠르기로 4시간 동안 280 km를 달릴 수 있는 차가 있습니다. 같은 빠르기로 105 km를 달리려면 몇 시간 몇 분이 걸리는지 구해 보세요.

식 : 4 : 280 = □ : 105

$280\times□=4\times105$, $280\times□=420$, $□=1.5$

답 : 1시간 30분

P 70 ~ 71

5회차 진단평가

월 일	
제한 시간	15분
맞은 개수	/ 6개

✎ 물음에 답하세요.

① 어느 문구점에서 원래 가격이 4000원인 문구 세트를 3200원에 할인하여 팔고 있습니다. 문구 세트의 할인율은 몇 %일까요?

(할인 금액)=4000-3200=800(원)

(할인율)=$\frac{800}{4000}$×100=20 (%)

답: **20 %**

② 회정이는 박물관에 갔습니다. 박물관 입장료는 7000원인데 회정이는 할인권을 이용하여 4200원을 냈습니다. 회정이는 몇 %를 할인받았나요?

(할인 금액)=7000-4200=2800(원)

(할인율)=$\frac{2800}{7000}$×100=40 (%)

답: **40 %**

✎ 물음에 답하세요.

③ 지역별 공유자전거 수를 조사하여 나타낸 표와 그래프입니다. 표와 그림그래프를 각각 완성하세요.

지역별 공유자전거 수

지역	가	나	다	라
공유자전거 수(대)	4100	2600	**5300**	3700

지역별 공유자전거 수

지역	공유자전거 수(대)
가	🚲🚲🚲🚲 🚲(작은 그림 1)
나	🚲🚲 (작은 그림 6)
다	🚲🚲🚲🚲🚲 (작은 그림 3)
라	🚲🚲🚲 (작은 그림 7)

🚲 1000대 / 작은 그림 100대

✎ 물음에 답하세요.

④ 어느 문구점에서 하루 동안 팔린 문구를 종류별로 조사하여 나타낸 띠그래프입니다. 원그래프로 나타내어 보세요.

문구 종류별 판매량

볼펜 (35 %)	공책 (25 %)	연필 (20 %)	지우개 (10 %)	기타 (10 %)

문구 종류별 판매량

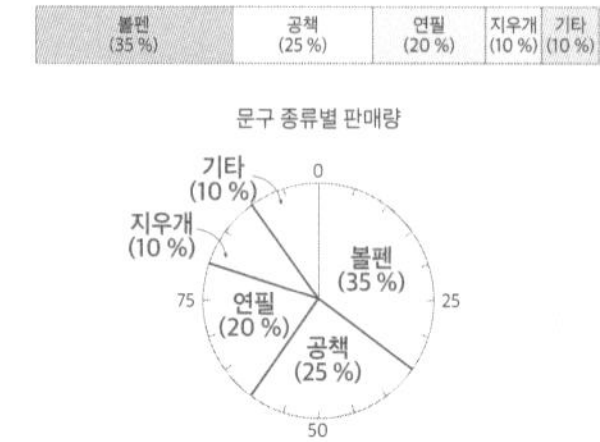

✎ 물음에 답하세요.

⑤ 6학년 1반 학생은 28명, 6학년 2반 학생은 24명입니다. 1반 학생 수와 2반 학생 수의 비를 간단한 자연수의 비로 나타내어 보세요.

28 : 24의 전항과 후항을 4로 나누면 7 : 6입니다.

답: **7 : 6**

⑥ 덕선이는 매실차를 만들기 위해 매실 원액 0.4 L와 물 2.2 L를 섞었습니다. 매실 원액의 양과 물의 양의 비를 간단한 자연수의 비로 나타내어 보세요.

0.4 : 2.2의 전항과 후항에 10을 곱한 후 2로 나누면 2 : 11입니다.

답: **2 : 11**

“

The essence of mathematics is its freedom.

”

"수학의 본질은 그 자유로움에 있다."

Georg Cantor, 게오르크 칸토어